Y Byd
a'r Betws

i Hedydd Ioan

Y Byd a'r Betws

Colofnau Angharad Tomos

y Lolfa

Rocet Arwel Jones a Dafydd Morgan Lewis (gol.)

Argraffiad cyntaf: 2003

Cyhoeddwyd yr erthyglau drwy garedigrwydd *Yr Herald*

Cynllun clawr: Ceri Jones
Llun y clawr: Marian Delyth

Rhif Llyfr Rhyngwladol: 0 86243 697 5

Cyhoeddwyd ac argraffwyd yng Nghymru gan
Y Lolfa Cyf., Talybont, Ceredigion SY24 5AP
e-bost ylolfa@ylolfa.com
gwefan www.ylolfa.com
ffôn (01970) 832 304
ffacs 832 782

Cyflwyniad

Ychydig iawn iawn o bethau sy'n gwbl ddibynadwy yn y byd 'ma ynte? Ond gyda cholofn Angharad i'r *Herald* gallaf ddibynnu ar ddau beth. Mi fydd yma'n brydlon, ac mi fydd yn dda.

Yn y gorffennol, byddai'r golofn yn cyrraedd y swyddfa mewn amlen, wedi'i theipio'n dwt ar ddwy dudalen A4. Ambell waith byddai neges ar y gwaelod yn dweud, 'dim colofn yr wythnos nesaf? – ar fy ngwyliau'. Byddwn yn gwybod wedyn y cawn chwip o erthygl yn rhoi golwg bersonol ar ba bynnag ardal y byddai Angharad wedi ymweld â hi'r tro nesaf. Dro arall byddai'r nodyn ar *dop* y dudalen, a gwae ni pan oedd hynny'n digwydd, oherwydd mai rhywbeth fel hyn fyddai'r neges bryd hynny: 'wnewch chi plîs wylio'r gwallau teipio!!!!!' Ond mae hyd yn oed 'Y Byd a'r Betws' yn symud gyda'r oes, ac erbyn heddiw mae'r golofn yn cyrraedd ar e-bost, ond yr un mor brydlon.

Roedd 23 Awst eleni yn garreg filltir i Angharad ac i ddarllenwyr *Yr Herald*. Deng mlynedd o ymhel â 'Y Byd a'r Betws' – a rwyf innau wedi cael y fraint o olygu'r rhan fwyaf o'i cholofnau hi.

Er eu bod yn dueddol o ddisgyn i ryw dri neu bedwar categori, mae 'na drydedd ffactor y gallwch ddibynnu arno gyda gwaith Angharad – sef amrywiaeth anhygoel o bynciau trafod oddi mewn i'r categorïau hynny. Rwyf eisoes wedi sôn am ei cholofnau teithio, ac fel ymgyrchydd iaith a heddychwraig ddiflino, mae hi hefyd yn defnyddio'i cholofn i fflangellu'r sefydliad yn y meysydd hynny o bryd i'w gilydd. Edrychaf ymlaen at ei cholofn arddio flynyddol, ond ar ôl yr erthyglau taith, mae'n rhaid dweud mai'r portreadau a'r teyrngedau sy'n rhoi'r mwyaf o foddhad i mi'n bersonol. Erbyn heddiw mae 'na elfen newydd yn ei bywyd hefyd – sef ei mab ifanc, Hedydd; ac mae'r agwedd honno wedi ychwanegu mwy fyth o amrywiaeth i'w gwaith.

Dywedodd Angharad ei hun mai ei cholofnau yn *Yr Herald* sy'n ennyn y mwyaf o ymateb o'i holl waith. Gobeithio y bydd y gyfrol yma'n cyflwyno darllenwyr newydd i'r *Herald*, ac i berlau'r 'Y Byd a'r Betws'.

Tudur Huws Jones, Hydref 2003

Rhagair

Llwyddodd *Yr Herald* i ddenu nifer o golofnwyr trawiadol dros y blynyddoedd. Ddeng mlynedd yn ôl fe ddechreuodd y mwyaf pendant ei barn ohonynt i gyd ysgrifennu i'r papur.

Yr oedd Angharad Tomos eisoes wedi gwneud enw iddi hi ei hun fel ymgyrchwraig a llenor cyn cychwyn ar y gwaith hwn. Nid yw ei gyrfa fel colofnwraig ond wedi cadarnhau syniad pobl ohoni fel person gydag egwyddorion dwfn ac argyhoeddiadau di-ildio. Tra gellid dadlau nad yw pob erthygl unigol ond cyfraniad bychan iawn i'w chynnyrch llenyddol, mae deng mlynedd o golofnau yn cynnig golwg bwysig i ni ar fywyd a gwaith, barn a rhagfarn, dathlu a galaru yr awdur – arf bwysig tu hwnt i unrhyw un sydd am edrych ar Angharad fel llenor a pherson. Mae'r colofnau hyn yn gyfraniad aruthrol o bwysig i'w gwaith hi – o ran cyfanswm geiriau yn unig maent rhywle dros chwarter miliwn. A dweud y gwir, ni fyddai'n syndod o gwbl gennym pe bai pobl yn dweud yn y dyfodol mai drwy gyfrwng y colofnau hyn y gwnaeth hi ei chyfraniad pwysicaf i fywyd y genedl.

Mae'r sawl sydd wedi meddwl am Angharad yn bennaf fel ymgyrchydd iaith yn mynd i gael agoriad llygad wrth ddarllen yr erthyglau hyn. Nid ymgyrchwraig iaith yn unig sydd yma, ond Cristion a heddychwraig o argyhoeddiad – er fod amodau ar yr heddychiaeth hwnnw pan fyddwn yn trafod Iwerddon. Mae yma hefyd gariad at deulu a bro, ynghyd â hoffter mawr o deithio i bedwar ban. Y teithio hwnnw, i raddau, wnaeth ennyn ei diddordeb yn nhrueni a gogonianau'r

Trydydd Byd. Wrth ddarllen y naill erthygl ar ôl y llall, y cwestiwn mawr a godai oedd pryd y llwyddai Angharad i fod yn llonydd am ddigon o hyd i ysgrifennu dim!

Rhinwedd arall sy'n amlygu ei hun yn yr erthyglau hyn yw cariad dwfn yr awdur at bobl – yn gymeriadau lleol, eneidiau hoff cytun, adar brith, gwehilion cymdeithas yng ngolwg rhai, ac un neu ddau fyddai llawer hyd yn oed yn eu cyfrif ymysg ei gelynion pennaf. Y teyrngedau hyn, o bosibl, yw perlau'r colofnau.

Un rhybudd arall. I'r sawl sydd wedi ystyried Angharad fel person ofnadwy o ddifrifol, bydded ar ei wyliadwriaeth. Mae yna hiwmor yma hefyd. Daw hyn a ni at gyfres o erthyglau nad ydynt wedi eu cynnwys yma. Y rhai ar arddio. Fe ŵyr y cyfarwydd fod doniau garddwriaethol yr awdur yn ddiarhebol. Gan fod ei herthyglau yn y maes hwn mor arbennig, a llyfrau ar arddio yn y Gymraeg mor ofnadwy o brin, tybiasom mai'r polisi gorau fyddai neilltuo ei chyfraniadau ar y pwnc hwn am y tro. Gallwn eu cyhoeddi eto yn y dyfodol, mewn cyfrol fydd yn siŵr o gael ei hystyried pan gyhoeddir hi, fel pinacl ei holl waith!

Wrth edrych yn ôl dros ddeng mlynedd o'i gwaith fel colofnydd mae dau beth amlwg yn eich taro. Y peth cyntaf yw sut y llwyddodd i beidio ailadrodd ei hun. Wrth gwrs mae yna themâu amlwg, ond nid yw byth yn troedio yn union yr un tir. Ond ar yr un pryd mae hi'n llwyddo i fod yn eithriadol o gyson, wrth drafod pob math o bynciau, llwydda i fod yn gyson â hi ei hun dros gyfnod maith o amser. Cryn gamp. Ond mae deng mlynedd yn siŵr o weld cryn dipyn o newidiadau yn ogystal – fe dystiodd y colofnau hyn i Angharad yn gadael Bron Wylfa, ei chartref ers cyhyd, yn sefydlu ei haelwyd ei hun ym Mhen-y-groes, yn cyfarfod â'r gŵr (Ben Gregory yw'r enw, gan nad yw darllenwyr *Yr Herald* erioed wedi cael eu cyflwyno iddo fo fel dim ond 'y gŵr'), ac wrth gwrs, yn dod yn fam i Hedydd. Ac iddo fo y cyflwynir y gyfrol hon.

Nododd Angharad yn rhywle na chadwodd hi erioed at y nifer o eiriau y gofynnodd y golygydd iddi eu hysgrifennu; ac yn ei ffordd ddihafal ei hun fe fu ar streic am rai wythnosau ar un adeg mewn protest yn erbyn penderfyniad i gyfyngu ar ei gofod. Mae'r ffaith fod y gyfrol hon yn gweld golau dydd yn profi pwy a orfu. Ein bwriad yma oedd cyflwyno 52 o golofnau, un ar gyfer pob wythnos o flwyddyn ddychmygol fel petae, ond fe fu rhaid cyfaddawdu gyda'r awdur a chynnwys 54.

Efallai nad yw Angharad yn gyfalafwraig, ond mae hi'n gapitalist heb ei hail. Mae cryn wahaniaeth rhwng 'dyn pwysig' a 'Dyn Pwysig', a Duw â helpo os digwydd o fod yn 'DDYN PWYSIG'. Gan fod hyn, ac ambell i amrywiad arall, yn rhan annatod o gymeriad y colofnau hyn – a chan fod yr awdur wedi gorchymyn hynny – gadawyd llonydd iddynt yma. Nid oedd gennym fwriad i gynnwys detholiad cytbwys o bob blwyddyn nac i'w cyflwyno mewn trefn amseryddol, ein gobaith yw fod y naill thema yn llithro i mewn i'r llall a fod y gyfrol hon yn ei chyfanrwydd yn adlewyrchu campwaith degawd cyfan. Yn olaf, mawr yw ein diolch i Angharad, Y Lolfa a'r *Herald* am eu cydweithrediad parod wrth baratoi'r gyfrol.

Dafydd Morgan Lewis a Rocet Arwel Jones

Arwydd o genedl iach oedd y dadlau

Bu'n Eisteddfod ddifyr. Yr hyn a'i gwnaeth yn ddifyr i mi oedd fod yna ddadlau gwirioneddol ar Faes y Brifwyl. Dadlau twymgalon, dadlau croch, dadlau oedd yn cynhyrfu'r dyfroedd. Arwydd o genedl iach yw un sy'n gallu dadlau felly. Difetha'r hwyl braidd yw dweud fod yn rhaid inni i gyd fod yn un teulu hapus, a bod dadlau fel hyn yn chwarae i ddwylo'r Toriaid. Pam na chawn ni ddadlau yr un mor groch ag unrhyw genedl arall?

Yr hyn a'i gwnaeth yn gystal dadl oedd ei bod yn un sylweddol. Hanfod y ddadl oedd i ba raddau yr ydym yn barod i gyfaddawdu. Beth yw ein disgwyliadau fel Cymry? Cyfaddawd yw Bwrdd Iaith. Doedd Llywodraeth Lloegr ddim yn barod i roi Deddf inni, felly cawsom Fwrdd Iaith. Gwêl rhai fel Dafydd Elis Thomas hyn fel cyfle, ac mae wedi derbyn y gwahoddiad i'w gadeirio. Rydw i'n amau a fyddai'r gefnogaeth i'r Bwrdd mor wresog petai Beata Brooks yn y Gadair, ond dyna lle bu'r Toriaid yn gyfrwys. Erbyn mis Ionawr bydd aelodau'r Bwrdd Iaith wedi eu dewis (yn dra gofalus) a bydd wedi cychwyn ar y gwaith o 'hyrwyddo'r iaith'. Pob lwc iddynt. Pan wenith Dafydd Elis Thomas yn glên ar reolwyr siopau a banciau gan ofyn iddynt ddefnyddio'r Gymraeg, gobeithio y byddant yn ymateb yn fwy ffafriol iddo nag a wnaethant i aelodau Cymdeithas yr Iaith Gymraeg. Ddaru gwenu ennill dim i ni. Ddaru llythyru a chyfarfod berswadio dim. Yr hyn a'u symudodd beth oedd sloganau ar eu ffenestri a phicedu wrth eu drysau. Roedd pethau felly'n taro'u pocedi. Wrth gwrs, tase 'na Ddeddf, fyddai ganddyn nhw ddim dewis ond ufuddhau iddi.

Fodd bynnag, mae yna sôn am newid agwedd tuag at y Gymraeg. Mae yna sôn yn awr am 'droi cornel' a chychwyn cyfeiriad newydd. Os gwnaiff huotledd Arglwydd Nant Conwy ennill y dydd, mi dynnaf fy het a rhoi 'mhot paent o'r neilltu. Fydd neb yn fwy balch nag aelodau Cymdeithas yr Iaith o roi'r gorau i brotestio.

Dipyn bach o amheuaeth sydd gen i ynglŷn â'r holl syniad, a rhyw fethu deall yn iawn. Methu deall sut y mae Llywodraeth fu mor elyniaethus tuag at Fesur Iaith cryf yn mynd i ganiatáu i'r Bwrdd Iaith wneud unrhyw beth o werth. Wedi'r cwbl, mae pawb yn cytuno mai'r ffordd o newid pethau go iawn yw trwy roi deddf ar y llyfrau statud.

Cymerwch enghraifft. Mae'r Llywodraeth yn pryderu am nifer y gyrwyr gaiff eu lladd mewn damweiniau ffordd, ac maen nhw'n awyddus i bawb wisgo beltiau diogelwch. Yn hytrach na phasio deddf i'w gwneud yn orfodol, maent yn sefydlu Bwrdd Beltiau, ac yn penodi cadeirydd hynaws. Mae Cadeirydd y Bwrdd Beltiau yn lansio ymgyrch fawr i 'hyrwyddo' beltiau. Mae o'n sgwrsio efo pobl ac yn dweud cystal syniad ydi gwisgo beltiau ac mae'n llwyddo i berswadio canran o bobl i'w gwisgo. Mi fydd y rhai sydd yn frwd o blaid beltiau yn eu gwisgo ar bob achlysur heb i neb ofyn eilwaith. Bydd eraill yn eu gwisgo pan fydd hi'n gyfleus ac yn rhesymol iddynt wneud hynny, neu pan fyddant yn cofio. Mi fydd yna leiafrif bychan yn ymarfer eu hawl i **beidio** gwisgo beltiau ar unrhyw achlysur am nad oes yna unrhyw orfodaeth arnynt i wneud hynny. Gall Cadeirydd y Bwrdd Beltiau ddatgan ei siom, ond does dim y gall wneud i ddiogelu'r bobl hynny. Dyna ffordd aneffeithiol o gael pobl i wisgo beltiau.

Roedd y Llywodraeth o ddifri ynglŷn â beltiau diogelwch. I ddangos hynny, cafwyd deddf a oedd yn gorfodi pawb i'w gwisgo ar bob achlysur, p'un ai oeddynt yn hoffi'r syniad ai peidio. Os gwrthodant eu gwisgo, cânt eu dirwyo heb lol. O ganlyniad, mae pawb bron yn gwisgo'r belt yn ddi-ffael. Doedd y Llywodraeth ddim yn credu yn hawliau'r iaith Gymraeg. O ganlyniad, mi sefydlwyd Bwrdd yr Iaith i'w 'hyrwyddo', a bydd ei Chadeirydd yr un mor llwyddiannus â Chadeirydd y Bwrdd Beltiau. Cewch ei hyrwyddo ar bob cyfle, ond gwae chi rhag ei gwneud yn hanfod.

Ofynnais i rioed am Fwrdd Iaith. Chredais i rioed yn y syniad o 'hyrwyddo'. Mae ugain mlynedd o ymgyrchu wedi dangos i mi gymaint o ragfarn sydd yna ynglŷn â'r Gymraeg. Deddf yn unig wnaiff newid y rhagfarn honno. Gan na chawsom Ddeddf, mynn rhai inni hawlio gormod, gan ddweud ein bod yn farus. Ydw, rydw i'n greadures farus. Rydw i eisiau statws cyfreithiol i'm hiaith. Rydw i eisiau i bob copa walltog gael y cyfle i'w dysgu a'i siarad. Ar ben hynny, rydw i eisiau Senedd i Gymru fel bod gennym yr hawl i setlo'n deddfau ein hunain. Rydw i mor farus ag unrhyw Sais ac rwy'n hawlio run faint ag sydd ganddo fo.

Nes cawn ni hynny, rydw i am barhau i ddadlau.

13 Awst, 1993

Diolch i fyddigions y Faenol am roi bwrdd du i eithafwyr

Mae *non-drip gloss* yn stwff trwchus iawn i'w roi ar waliau. Yn enwedig waliau cerrig oer efo tyfiant sy'n ymyrryd ar rediad brwsh.

'**RH**' – yn fawr ac yn bowld. Lot rhy fawr a deud y gwir. Fyddwn ni wedi gorffen y paent cyn gorffen y gair. Pwyll pia hi mewn gêm fel hon. Mae'n bwrw eira yn drymach bellach. Mantais neu anfantais ydi hynny?

'**Y**' – mantais. Fasa'r un plismon yn dychmygu fod yna neb allan yn y tywydd yma yn gwneud drygau. Ond nid gwneud drygau ydan ni, nid creu difrod heb esgus cyfreithiol. Addurno ydyn ni – efo pob esgus cyfreithiol dros wneud hynny.

'**DD**' – mae'r llythyren yma'n gam. Does dim angen rhuthro. Wrth gwrs fod angen rhuthro – neu mi gawn ein dal. Dydw i ddim eisiau treulio'r noson yn swyddfa'r heddlu. 'Runig fantais, mi fydda hi'n dipyn cynhesach yn fanno. Mae 'nwylo i'n rhy oer bellach i ddal y brwsh.

'**I**' – car yn dod! Ei heglu hi fyny'r lôn a chymryd arnom mai cariadon hwyrol ydyn ni. Pwy gebyst fasa'n credu hynny? Pa ferch efo gronyn o hunan-barch fasa'n dod allan i garu mewn trwsus peintiwr a chôt fel tramp? A phwy yn ei iawn bwyll fasa'n caru ar rowndabowt – a hithau'n storm o eira?

'**D**' – mae'r paent yn twchu. Does dim amdani ond ei rofio ar y wal efo'r brwsh. Rhoi gymaint ohono a fedrwn ni ar y wal a gobeithio y gwnaiff o aros yno am hir iawn – nes bydd pawb wedi darllen y neges. Mi fuo'r negeseuon eraill ar y wal am amser maith – 'Nid yw Cymru ar Werth', 'Cymraeg

– Iaith ein Plant?' 'Teledu Cymru i Bobl Cymru' a'r slogan ryfedd honno a addaswyd – 'All Shall Be Welsh'. Mae'n hanes ni wedi ei sgwennu ar y waliau hyn. Dwi hyd yn oed yn cofio 'Cyfiawnder' ac 'FWA' arni. Un handi ydi 'Cyfiawnder' – tydi honno ddim yn dyddio. Mae honno'n un *multi-purpose*.

'**I GYM**' – Car! Dario, fedrwn ni ddim ei gadael hi fel 'na. Dydi hi ddim yn gwneud synnwyr. Mi fydd pawb yn gwybod ein bod ni wedi dianc a gadael y sioe ar ei hanner. Cerddwn ymaith heb gydio dwylo y tro hwn. Tase ni'n gwneud hynny mi fydda beryg i'r *non-drip* ein huno mewn dull parhaol.

Nôl at y wal am y rownd derfynol. '**R**' gam ac '**U**' frysiog. Dyna ni. Mae yna dipyn o baent yn weddill yn y tun. Waeth inni ei orffen o ddim. Tafod y ddraig wnaiff y tro – jest i ddangos pa gatrawd o'r mudiad cenedlaethol fu wrthi.

Mae hi'n dawel iawn. Mae'r plu eira yn disgyn yn arafach. Dan oleuadau'r ffordd mae hi'n olygfa dlws. Mae'r wal hon yn un fuddiol. Doedd hi'n beth da i foneddigion y Faenol ei chael? Wrth ei chodi, ddaru nhw ddychmygu eu bod nhw'n paratoi bwrdd du i eithafwyr y dyfodol?

Mi lanhawyd y wal fis Gorffennaf diwethaf – y diwrnod cyn i Carlo ymweld â Chaernarfon. Glanhau'r neges oddi ar y wal rhag ofn i'r Tywysog deimlo fod rhyw annifyrrwch yn y tir. Ond mi gawn nhw ei llnau hi faint fynnon nhw. Ailymddangos wna'r geiriau. Wnawn nhw ddim diflannu nes y bydd achos yr anniddigrwydd wedi ei setlo. Ac mi fydd angen rhywbeth llawer cryfach na *turps* i wneud hynny.

Rydan ni'n cerdded yn ôl at y car – yn dawel. Rydw i'n meddwl am y bywyd bach newydd ddaeth i'r byd noswyl Gŵyl Ddewi – nai bach i mi, sydd bron yn wythnos oed. Mi fûm yn crafu 'mhen yn meddwl am bresant iddo. Dyma hi – y slogan, dyna f'anrheg i iddo. Dim ond hynny ydw i eisiau iddo'i gael. Y rhyddid i gael ei fagu'n Gymro, i gael addysg yn ei famiaith a'r hawl wedyn i'w siarad mewn cymdeithas wâr. Yr hawl i weithio ynddi, yr hawl i fagu teulu ynddi, i gael ei ddeall trwy gyfrwng y Gymraeg. Y rhyddid i beidio teimlo'n israddol, i beidio gorfod gadael ei fro, i beidio cael ei ddirmygu am berthyn i 'leiafrif'. Y rhyddid i'r pethau hyn heb wario'r rhan helaethaf o'i fywyd yn brwydro amdanynt. Y rhyddid i wneud yr holl bethau hyn heb ymgyrchu'n ddiddiwedd i'w cael. Ydw i'n gofyn gormod?

Wedi dod adre, wrth lanhau'r paent oddi ar fy nwylo, a methu cael gwared ar yr hen stwff styfnig o dan fy ewinedd, un cwestiwn yn unig sy'n fy meddwl. Sawl chwart o *non-drip gloss* (*super*) fydd ei angen ar ei waliau cyn y daw Cymru'n rhydd?

11 Mawrth, 1995

'Fin nos, fan hyn... '

Anodd egluro'r dynfa. Dim ond ei bod hi'n Rhagfyr y tro hwn, a bod yno fedd. A bod yn rhaid mynd.

Adeg y Steddfod roedd yr awyrgylch yn ysgafnach, roedd hi'n wyrdd ac yn gynnes, ac roedden ni'n griw hwyliog yn mwynhau gŵyl. Tro hwn ro'n i'n teithio fy hun. Roedd hi'n bwrw eira a'r ffordd yn llithrig. Roedd yr awyr yn fygythiol ac roedd gen i ofn. Wedi mynd heibio Rhaeadr, mae yna newid yn digwydd, a dydw i ddim yn meddwl mai fy nychymyg i yn unig sy'n gyfrifol.

Wydden ni ddim yn iawn pwy oedd y naill a'r llall. Wrth gerdded i mewn i'r eglwys, a'r eira'n meirioli yn byllau dan draed, prin y gallwn weld yr wynebau yn y gwyll. O'r diwedd, cyrhaeddodd gŵr eiddil mewn gwisg laes ddu. Oni bai am y sbectol, gallai fod yn ysbryd o'r oes o'r blaen. Gan fod cyn lleied ohonom, gwahoddodd ni i gyd i'r gangell. Ffurfiodd ni'n gylch a dyma gynnal gwasanaeth.

'You're Welsh!' sibrydodd y ferch fach wrth fy ochr. Mercy oedd ei henw, roedd hi'n byw yn y Ficerdy cyfagos.

'Tithau?' mentrais holi.

'Tipyn bach,' cyffesodd yn swil.

Roedden nhw'n acenion dieithr, ond Cymraeg oedd yr iaith. Roedd yr anerchiad yn Saesneg, a'r fendith yn Lladin. Yn yr iaith honno y byddai'r Sistersiaid wedi ei hadrodd, wyth gant a hanner union o flynyddoedd yn ôl, pan sefydlwyd yr Abaty.

Mentrodd rhai ohonom i lawr at yr adfeilion gerllaw. Wrth gerdded tuag at y bedd, anodd credu i Abaty Cwm Hir fod y mwyaf o'i bath ym Mhrydain pan godwyd hi. Roedd hi'n prysur nosi wrth inni osod y dorch o iorwg ar y llechen. Dechreuodd bigo bwrw. Doedd neb yn siŵr iawn beth i'w wneud nesaf, ac fel sy'n arferiad ar adegau o'r fath, mi ganon ni 'Hen Wlad Fy Nhadau'. Daeth ci o rhywle a sefyll ar y garreg gan edrych arnom mewn rhyfeddod cyn cael ei hel oddi yno. Mae'n siŵr ein bod ni'n edrych yn griw o bethau digon od. Uwchben y gofeb, roedd torchau eraill – un o gelyn a'r llall o flodau. Ŵyr neb pwy sy'n dod â'r rhain yn flynyddol. Falle mai ysbrydion ddaw â nhw. Wedi gorffen y ddefod, llaciodd ein tafodau rhyw fymryn. Rhoddodd creyr glas cyfagos rywbeth inni sgwrsio yn ei gylch. Roedd yna ryw si meddai rhywun fod yna arian am ddod gan Cadw i adfer y fan.

Falle mai rhan o'r chwedloniaeth ydi hyn, hefyd, wn i ddim. Ond petai – drwy ryfedd wyrth – yn wir, mae'n hwyr glas i'r cymorth hwnnw ddod. Mae'r modd y cafodd Cwm Hir ei adael i ddadfeilio yn ddrych o'r hanes i gyd. Hanes blêr ydi o ar y gorau. Chofnodwyd mohono'n gywir. Mae yna sôn am frad. Mae yna goel fod oed i'w gadw yn Aberadwy. Mae yno ogof gudd. Stori ryfedd yw honno am Madog Goch, Min Mawr. Fo oedd y gof a drôdd y pedolau ar geffyl Llywelyn o chwith er mwyn twyllo ei elynion, ond fo a'i bradychodd hefyd. Ymhell bell yng nghof pobl, mae sôn am Fradwyr Buallt yn gwrthod agor y ddôr i Lywelyn pan geisiodd noddfa ganddynt.

Mae yna enwau a cherddi. Ai Stephen de Frankton oedd y gŵr laddodd y Llyw? Ai Roger Lestrange ydoedd? Ai Madog ap Cynwrig oedd yr un a'i bradychodd a beth oedd â wnelo Gruffydd ap Gwenwynwyn â'r trefniant? Beth oedd rhan Archesgob Caint, John Peckham, yn hyn i gyd? Beth yw'r sôn am lythyr cudd ar gorff Llywelyn wedi iddo farw? Wyddon ni ddim, a chawn ni byth wybod. Aeth yr hanes 'ar goll'. Doedd wiw i'r beirdd ddweud y gwir. 'Llywelyn, hy y'i henwaf' mentrodd Bleddyn Fardd. Mae mawredd marwnad Gruffydd ab yr Ynad Coch yn pylu peth pan ddeallwn iddo gael tâl o ugain punt gan Edward I. Am beth, Duw yn unig a ŵyr. Wn i ddim ydw i eisiau gwybod hyd yn oed.

Hanes cymysg ydyw sy'n ennyn ymateb cymysg. Mae'r ffeithiau mwy pendant yn tanio teimladau mwy chwerw. Y modd y torrwyd pen Llywelyn a'i arddangos er gwawd yn Llundain, y dorch o iorwg a osodwyd yn wamal ar ei ben. Mi ddigwyddodd y cyfan mor bell yn ôl. Llond dwrn sy'n mynnu cofio. Prin fod hanesydd swyddogol ar ein cyfyl y dydd o'r blaen. Adar digon brith oedden ni i gyd.

Wn i ddim pam yr euthum.

Dim ond mai Rhagfyr oedd hi, a bod yno fedd.

12 Rhagfyr, 1993

Teimlo ysbryd rhyddid a hyder ym mhrifwyl y Cymry go-iawn

Does yna ddim digon o le i'r geiriau. Rhaid eu gwthio driphlith-draphlith i gael cymaint â phosib i mewn. Rhaid eu gwasgu ar bennau ei gilydd fel na chânt eu siomi. Fel yr oeddem ni nos Sadwrn.

Roedd hi'n llawn am wyth, roedd hi'n orlawn am ddeg, ac erbyn y bore ro'n i'n cael trafferth i gael fy ngwynt. A pha syndod? Rhowch chi bum mil o bobl mewn pabell, a dyna beth sy'n siŵr o ddigwydd.

Y lle? – Ffostrasol. Yr achlysur? – degfed pen-blwydd y Cnapan. I'r sawl na ŵyr, y Cnapan yw'r ŵyl werin a gaiff ei chynnal am wythnos bob Gorffennaf yn yr hen Sir Aberteifi. Cofiaf yr ŵyl gyntaf lle daeth dau gant ohonom ynghyd i glywed ambell grŵp gwerin a Dafydd Iwan. Ers hynny, mae wedi mynd o nerth i nerth. Ceir grwpiau o'r Alban, Iwerddon a thu hwnt, ac mae'r pwyslais ar 'joio'. I sawl un mae'n golygu gwell mwynhad na'r Steddfod.

Peidiwch â gofyn imi ddadansoddi'r peth. Archebwch eich tocyn ac ewch i weld drosoch eich hun. Mae'r ardal yn un gyfareddol, ond mae a wnelo'r profiad â chynhesrwydd y bobl sy'n ei chynnal. Ddowch chi ddim o hyd i griw gwell. Dros y blynyddoedd, rwyf wedi dod i'w nabod fesul un, ac maent yn halen y ddaear. Pobl sy'n rhoi yn hael o'u hamser a'u harian i gyflwyno gŵyl gofiadwy bob blwyddyn.

Tynnodd yr haul ni allan o'n pebyll ddydd Sadwrn, a dyma fynd i grwydro'r ardal. Lawr â ni i Langrannog i hel atgofion am wersylla, draw i Gwmtydu i eistedd uwchben y môr, gan edrych i lawr ar wylanod a syllu ar ogofâu a anfarwolwyd gan T Llew Jones.

Lawr ar hyd y lôn goediog i Lwyndafydd, cael cip ar
fferm y Cilie, cyn dychwelyd i Ffostrasol i glywed seiniau
telyn Twm Morys yn dynodi dechrau'r wledd.

Wedi nos Wener, ddychmygais i rioed y byddai gen i'r
nerth i ddawnsio eto, ond mae swyn mewn tannau sy'n drech
na blinder. Mae o'n gallu gafael yn eich llaw a'ch tywys i fyd
hud.

Dyna wnaeth Meic Stevens gan luchio ei rwyd o gyfaredd
trosom. Ac yntau'n tynnu'n drwm ar ysbrydoliaeth Llydaw,
llanwodd ein pennau â lliwiau a hiraeth a chariad nes
chwythu pob gofid i ffwrdd. Daliai'r pererinion i gyrraedd, a
chefais le mewn cornel i wylio'r wynebau – rhai yn swil a
phetrusgar, eraill yn uchel eu cloch ac yn llawn cwrw, sawl
un wrth ei fodd yng nghwmni ffrindiau, ac ambell un yn dod
am y tro cyntaf i edrych ar bopeth yn gegagored.

Wrth iddi dynnu am hanner nos, roedd y llawr yn siglo.
Ar y llwyfan roedd Albanwr yn bwrw ei gynddaredd ar
Dorïaid Whitehall, ac yn ein hannog i godi dau fys arnynt.
Cawsom ddôs go lew o'r ysbryd gwrthryfelgar gan y Wolfe
Tones y noson cynt. Tu ôl i'r pregethwr roedd Albanes
lygatddu mewn trwsus cwta lledr yn chwarae'r delyn yn
fedrus. Sôn am ddryllio delweddau! Gadwch i bobl gael eu
syniadau cul eu hunain am ganu gwerin, ond mi brofwyd
droeon ar lwyfan y Cnapan y gall canu o'r fath fod mor
gyfoes â dim, ac yn feiddgar fentrus.

Tua un o'r gloch y bore, roedd y babell yn llawn i'r
ymylon i groesawu Dafydd Iwan. Mae 'na draddodiad ers
blynyddoedd mai ef sydd yn cloi'r Cnapan. Allwch chi ond
rhyfeddu at ei ddawn yn canu emyn, alaw o Chile, cerdd
ysgafn am yn ail â chân brotest gan ddal y gynulleidfa yng
nghledr ei law. Gwyddai'r dorf y tonau ar eu cof, ond doedd
hynny ond yn ychwanegu at y mwynhad. Syllais ar y silowets

o'r merched ar ysgwyddau eu cariadon, ambell feddwyn yn trio dringo i'r nenfwd, gwalltiau yn chwifio yn ryddmig a dwylo'n uchel mewn cymeradwyaeth. A gwenais.

Wrth gwrs, dyma'r ffordd i'w gwneud hi. Anghofiwch am etholiadau a chanfasio a chrafu pleidleisiau i gael y maen i'r wal. Pam sy'n rhaid inni golli wrth chwarae eu rheolau hwy? Trowch eich cefn ar ddiflastod gwleidydda traddodiadol. Gadewch i'r Cnapan dyfu ar y raddfa yma a bydd gennym seiliau'r Gymru Rydd. Mi grewn ein Senedd ein hunain. Mi ddown ynghyd i Ffostrasol bob blwyddyn a phenderfynu sut yr ydym ni am fyw ein bywydau. Mae'r ysbryd yma, a gallwch deimlo'r hyder.

Edrychais ar y wynebau o'm cwmpas, yn wlyb gan chwŷs ac yn llawn egni. Dyma'r niferoedd y dylem eu cael mewn rali. Mewn blynyddoedd, falle y down nhw allan mewn minteioedd fel hyn – heb fod angen cwrw i'w cymell. Fe ddown at ein gilydd i wneud mwy na gafael mewn dwylo a chanu. Mi gawn rym gwirioneddol. Ond tan hynny, caiff y Cnapan fod yn fodd i'n cadw mewn cysylltiad â'n gilydd. Caiff fod yn rhwydwaith tanddaearol i ddod â phobl o bob oed ynghyd.

Rydych chi'n adnabod rhyddid gwirioneddol pan gewch chi'r cyfle i'w flasu. Roedd o ar gael ym mhabell y Cnapan y Sadwrn diwethaf. Ymhell o ddelwedd slic ac addewidion gwag y Bwrdd Iaith, i ffwrdd o ddrewdod y *quangos*, yn rhydd o nawdd Telecom-yn-y-Gymuned a sticeri nawddoglyd y Cyfryngau, roeddech chi'n cael dracht o'r *real thing*. Roeddech chi'n rhydd i ddweud eich barn o'r llwyfan heb i neb eich sensro; roeddech chi'n rhydd i gymeradwyo heb edrych dros eich ysgwydd; roedd y Gymraeg yn brif iaith heb orfod profi ei hun yn rhesymol ac ymarferol, ac am y noson – doeddech chi ddim yn lleiafrif.

Does ryfedd ein bod wedi gwasgu at ein gilydd. Mae'n rhaid cadw egni fel hyn dan reolaeth. Ond mae mwy a mwy am ymuno ac mae'r wasgfa'n waeth. Yr effaith gaiff gwasgu fel hyn yw dod â ni'n nes at ein gilydd. Rydym yn atgyfnerthu'r naill a'r llall ac yn hawlio mwy o le. Ar hyn o bryd, mae'r cyfan dan reolaeth – mewn pabell fach. Ond mae'r rhaffau'n gwegian ac mae'r tymheredd yn codi. Pan fydd cynnwys y babell hon yn gorlifo dros Gymru, mae'n well i ddeiliaid y Drefn fod ar eu gwyliadwriaeth, achos mi fydd yna andros o storm i ddilyn...

16 Gorffennaf, 1994

Cymreictod go iawn yn hytrach nag un plastig

Mi fyddai'n meddwl fod *Tu Chwith* yn deitl arbennig o dda ar gyfer y cylchgrawn hwnnw gaiff ei ariannu gan y Cyngor Celfyddydau, ac sy'n newid ei olygydd bob rhyw ddwy neu dair blynedd. Rhyw olwg 'tu chwith' gaiff rhywun ar Gymru drwy ei dudalennau.

Mae *Tu Chwith Dot Com* wedi bod yn arbennig o feiddgar yn rhifyn Haf 2000, gan gyhoeddi cylchgrawn sydd a'i gant a hanner o dudalennau sgleiniog wedi canolbwyntio yn llwyr ar Bechod.

Eto, mae 'na rywbeth Cymreig iawn yn y syniad o feddwl am 'bechod' fel rhywbeth beiddgar. Prin fod pobl heddiw yn defnyddio'r gair o ddifri, hyd yn oed y rhai sy'n deall ei ystyr.

Mae'r clawr yn dangos 'oriel yr anfarwolion' rhyw enwad o'r gorffennol gyda phob gweinidog wedi cael ei addurno mewn lliwiau seicadelig. Mae Wynn Davies, Y Rhos, wedi cael gwallt piws a lipstig, E Evans, Llangamarch, druan wedi ei beintio'n las, a'r hybarch Puleston Jones wedi cael wyneb gwyrdd a sbectol goch. Hm, Cymreig iawn os nad gwirioneddol feiddgar.

Ceir, yn ddisgwyliadwy, saith adran, gyda thrafodaethau ar y pechod llenyddol, celfyddydol, crefyddol, gwleidyddol, personol ac ati, ond yn adran 'y pechod cymdeithasol' y gwelais un o'r ysgrifau mwyaf dadlennol. Yr awdur yw Arwyn Evans, a theitl ei fyfyrdodau yw 'O Ben-y-groes i'r Bae'. Yn y cefn, mewn nodyn o eglurhad, cawn wybod mai llanc o Ben-y-groes yw Arwyn Evans a aeth i Goleg Aberystwyth, ac sydd bellach yn gweithio i HTV yn y Brifddinas.

Swm a sylwedd ysgrif y Br Evans yw trafod beth sy'n peri i hogyn o Ddyffryn Nantlle fod eisiau byw yng Nghaerdydd. Dydi o ddim yn hogyn unig yno. Anodd iawn medd ef yw symud modfedd yn y ddinas heb gyfarfod â rhywun o'r gogledd. Tydan ni'n gwybod hynny'n iawn. Anaml y dowch chi ar draws teulu yn y cyffiniau hyn sydd heb ryw berthynas neu'i gilydd yng Nghaerdydd. Maen nhw mor gyffredin â theuluoedd Gwyddelig sydd efo perthnasau yn America. Ond o leiaf roedd gan lanciau a lodesi Iwerddon esgus tan yn ddiweddar dros adael cartref – roedd diweithdra yn eu gorfodi i ymfudo. Mynd i Gaerdydd o ddewis mae ein pobl ifanc ni. A wele un ohonynt yn ceisio egluro pam.

Mae Arwyn Evans yn ddigon gonest. Cyfaddefa mai 'bywyd bras y *vertie* lled-gefnog sydd yn apelio gan amlaf'. Cyn mynd ymhellach, gwell egluro i werin Arfon ystyr y gair estron hwn. Talfyriad ydyw o *virtual-thirties*, sef yr iypis newydd – 'rhai sy'n rhy hen i fynd i rêfio, ond sy'n rhy ifanc i setlo lawr' – a dyna lygaid ni'r Gogleddwyr druan wedi eu hagor dipyn yn lletach.

Ymddengys mai'r math o beth mae *vertie* yn ei wneud yw yfed gwydriad bach o Cabarnet Sauvignon tu allan i un o fariau soffis Bae Caerdydd. (Fedra i ddim dweud wrthych chi be ydi 'soffis', ni chynigir eglurhad.)

Does gen i ddim gwrthwynebiad i grach newydd Caerdydd yfed beth bynnag maen nhw eisiau – lle bynnag mae nhw eisiau – efo pwy bynnag mae nhw eisiau, cyn belled â'u bod yn cadw'n dawel ynglŷn â hynny. Pam, o pam, mae pob iypi Gogleddol Cymreig yn cael y fath angst ynglŷn â'i f/buchedd? Mae pobl fan hyn yn gallu yfed eu gwin hwy mewn dewisedig fan heb orfod cael camdreuliad yn ceisio cyfiawnhau hynny.

Y gwir amdani yw fod iypis Caerdydd – fel pob iypi gwerth ei halen – yn Snobs. A hanfod bod yn Snob ydi credu eich bod yn well na neb arall. Ond oherwydd *psyche* y Cymry, mae bod yn snob yn beth anghymreig, felly rhaid ceisio cymhwyso, egluro neu ymddiheuro am eich snobeiddiwch.

Mae gen i neges i Arwyn Evans a'i gyfeillion dethol – rhowch y gorau iddi, rhad arnoch, achos mae 'na waredigaeth i'w gael. Tydach chi ddim yn cael bywyd gwell na phawb arall – jest meddwl hynny yr ydych. Achos mae'r darlun hiraethus sydd gennych o Ben-y-groes a phentrefi eraill y cylch hwn yn un hynod o hen ffasiwn. Dydyn ni ddim eisiau clywed am eich cymhariaethau slic rhwng 12 sgrin yr UCI a'r 'cwt chwain ym Mhorthmadog', does dim byd ffraeth mewn cymharu Band Prês Tal-y-sarn â Chôr y Cameo, a phathetig yw gwadio'r Paradocs wrth ei gymharu â chlwb yr Evolution yn y Bae.

Yma, yn y Ben-y-groes fodern, mae popeth yn hynod o hwylus. Mae gennym ddau gaffi a'u bwydlen yn rhagori ar ddiflastod y Burger King. Mae'r siop ar agor rhwng saith y bore a deg y nos, ac mae gennym bethau gwell i'w gwneud rhwng tri a phedwar y bore na siopa mewn *24-hour* Spar. Fedrwn ni ddim brolio clwb nos, ond mae'r Paradocs yn ddigon da. Mewn llai na blwyddyn bydd gennym ffordd osgoi newydd sbon danlli. Ac er ein bod yn dlawd, mae gennym rywbeth na chaiff Caerdydd fyth, sef arian Amcan Un!

Ond faint rheitiach ydw i o geisio sgorio pwyntiau fel hyn ar y raddfa faterol? Mae pawb yn gwybod fod Pen-y-groes yn dlotach yn faterol, ac rydan ni wrthi fel lladd nadroedd yn ceisio codi'r safon byw (heb help yr ifanc sy'n heidio i Gaerdydd). Yr hyn sydd gennym yw cyfoeth cymdeithasol.

Mae gen i'r cysur o wybod fod yna gymdogion bob ochr i mi sydd yn poeni amdanaf. Mae gen i'r sicrwydd fod y tŷ yn ddiogel hyd yn oed os ydw i'n gadael y goriad yn y drws ambell waith. Oes, mae 'na gyffuriau a dwyn o geir, ond does gen i ddim cymaint o gyfoeth fel bod yn rhaid i mi wario f'arian i gyd ar bolisïau insiwrans, neu gymryd hanner awr bob nos i osod larwm ar y car neu folltio drws fy nhŷ.

Ym Mhen-y-groes, mae pobl yn siarad efo'i gilydd ar fysus, yn y post, ar y stryd. Dwi'n dal i deimlo hunan-barch a 'ngwerth fel unigolyn. Pan fydd rhywun yn marw yma, mae cymuned gyfan yn galaru. Ydan, rydan ni'n perthyn i'n gilydd.

Dyna pam, ar noson braf o haf, pan fyddaf yn mwynhau potel o win wrth wylio'r haul yn machlud tu hwnt i Ddinas Dinlle, a bwyta *olives* (ia – rydan ninnau yma ym Mhen-y-groes yn gallu eu prynu a'u bwyta hefyd), does dim rhaid dioddef rhyw wewyr mewnol a holi pam mod i'n byw yma. Dwi'n dewis byw yma achos mai dyma'r lle gorau ar wyneb daear. Dydw i ddim isio byw yn unman arall, a dydw i ddim eisiau i ryw greadur trist yng Nghaerdydd wastraffu ei amser yn tosturio wrthyf.

Cadwch eich piti. Mae gen i fy theori fy hun pa fath o bobl sy'n mynd i lawr i Gaerdydd i fyw. Rhyw bobl sydd eisiau byw yn ddigon pell o gartref ydyn nhw, fel y gallent deimlo'n rhydd o ofal rhieni a chymdogion. Ac mae 'na rywbeth trist iawn ynglŷn â phobl o'r fath sy'n methu tyfu fyny. Pan gaiff rhain blant, maen nhw'n aml yn codi eu pac ac yn dychwelyd i fyw i fro eu mebyd. Mae'r smalio yn dod i ben, ac maen nhw'n cydnabod fod gan gymunedau Arfon rhywbeth rhagorach i'w gynnig wedi'r cyfan – rhyw Gymreictod go iawn, yn hytrach nag un plastig.

5 Awst, 2000

Dim ardal gadarn Gymraeg yn bod tu allan i Wynedd ymhen tair blynedd

Sut fyddwch chi'n lecio cymryd eich ffisig? Mewn un llwnc dewr sydyn, neu'n boenus araf gan gael siwgr lwmp ar ei ôl i leddfu'r effaith? Pa ffordd bynnag gymrwch chi o, yr un blas sydd iddo, a does dim ffordd hawdd o'i chwmpas. Mae'r un peth yn wir efo newyddion drwg. Pa mor fedrus bynnag y ceisiwch ei dorri, newydd drwg ydi o yn y pen draw.

A newydd drwg sydd gen innau i chi, mae gen i ofn.

Y sôn ydi fod yna don newydd o fewnlifiad yn debyg o daro Cymru. Mae'r wybodaeth wedi dod gan ŵr ifanc o Aberystwyth sy'n ymchwilio i'r fath bethau, Dr Dylan Phillips. Y cwbl yr ydw i yn ei wneud ydi lledu'r newyddion drwg – gan wybod fod modd gwneud rhywbeth yn ei gylch.

Mae'r rhan fwyaf ohonoch yn cofio'r mewnlifiad dwytha – yn ystod yr Wythdegau. Bryd hynny, cododd prisiau tai yn aruthrol, a bu'r codiad ym mhris tai yn Lloegr yn hwb i fewnfudwyr brynu tai ac eiddo yng Nghymru. O ganlyniad, agorodd y llif-ddorau. Ym 1982, roedd 66 mil o bobl yn symud i fyw i Gymru bob blwyddyn, a'r mwyafrif helaeth ohonynt yn dod o Loegr. Erbyn 1987, roedd y ffigwr hwnnw wedi codi i bron i 80 mil y flwyddyn. Ychwanegwch at hyn bolisïau cwbl adweithiol Thatcher, yn gwerthu tai cyngor ac yn rhwystro awdurdodau lleol rhag gwario ar stoc, gan roi perffaith ryddid i'r Farchnad Rydd, a doeddan ni ddim angen dewin i ddweud wrthym beth fyddai'r canlyniad. Mi brofon ni effeithiau hyn yng Ngwynedd. Canran y plant o gartrefi Cymraeg mewn ardal fel Bron-y-foel yn disgyn o 62% i 19% mewn pum mlynedd. Y canran yn Nantlle yn disgyn o 45% i 8%. Y canran yn Nhal-y-sarn yn haneru.

Yn ffodus, mi wellodd pethau. Yn raddol, sefydlogodd prisiau, a daeth dipyn o sefydlogrwydd yn y farchnad ac yn ein cymunedau. Ond hyd yn oed yn ystod y Nawdegau llwm, roedd 10 mil o fewnfudwyr yn dal i ddod bob blwyddyn i Ddyfed. Ar yr un pryd roedd nifer cyffelyb o'n pobl yn gadael eu bröydd i chwilio am waith tu allan i Gymru.

Os mai dyna'r sefyllfa mewn cyfnod o ddirwasgiad, beth sy'n mynd i ddigwydd wrth i brisiau tai ddechrau codi drachefn?

Wedi digwydd yn ystod y flwyddyn ddwytha mae o. Cymdeithasau adeiladu megis Halifax yn nodi'n ddiweddar fod prisiau tai yn ardal Llundain wedi codi 17% tra fod prisiau tai yng Nghymru wedi codi 5%. Ar ben hyn, mae cyflogau mewn rhannau cyfoethog o Loegr yn gallu bod ddwbwl y cyflogau yng Nghymru. Rŵan, dyma i chi gyfle i wneud ceiniog dda iawn. Cymrwch chi fod yna berson yn Lloegr eisiau gwerthu ei dŷ pâr yn Llundain a phrynu tŷ o gyffelyb faint yng Nghymru. Yn Llundain Fwyaf, gellir gwerthu tŷ pâr am £153,000. Yng Ngheredigion, gellir prynu tŷ pâr am £42,000. Dyna i chi elw o dros gan mil o bunnau, a'r holl fanteision mae byw yng Ngheredigion yn hytrach na chanol Llundain yn ei gynnig i chi. Y rhyfeddod ydi nad oes llawer iawn mwy yn manteisio ar y fargen, yn enwedig yn y dyddiau hyn pan fedrwch chi weithio bron o unrhyw le.

Yn ôl ymchwil Dylan Phillips ac eraill, mae'r hyn yr arferem gyfeirio ati fel Y Fro Gymraeg wedi ei darnio tu hwnt i adnabyddiaeth. Rhyw frodwaith pathetig ydi hi bellach yn teneuo'n flynyddol. Cydnabyddir mai ardal gadarn Gymraeg ydi'r ardal lle mae tri chwarter y boblogaeth yn medru'r Gymraeg. Yr ardaloedd hyn sydd wedi diflannu dan deyrnasiad Thatcher. Mae dirywiad yn niferoedd y rhain yn ystod yr Wythdegau wedi dilyn graddfa reit gyson o 5%.

Os digwyddodd y dirywiad ar raddfa gyffelyb yn y Nawdegau, bydd y pentrefi canlynol wedi peidio â bod yn rhai cadarn Gymraeg erbyn 2001: Bethel, Llandwrog, Llanllyfni a Thal-y-sarn.

Os digwyddodd y dirywiad ar raddfa waeth (tua 7.5%), yna gallwch ffarwelio'n ogystal â Llanberis a Llanwnda.

Yn wir, os mai dirywiad fel hyn fydd 'na drwy Gymru gyfan, ni fydd unrhyw ardal gadarn Gymraeg yn bod tu allan i Wynedd ymhen tair blynedd.

Dim ond 21 pentref fydd 'na yng Ngwynedd. Yn Arfon, rhain fydd yn dal ar y rhestr: Bethesda, Bontnewydd, Caernarfon, Deiniolen, Llanrug a Phen-y-groes. Mae o ddigon â gwneud i waed unrhyw un fferru.

Dyna pam yr aeth Cymdeithas yr Iaith, ar ddydd Glyndŵr 1998, i gyfarfod Cyngor Sir Gwynedd i ofyn iddynt wneud popeth oedd o fewn eu gallu i sicrhau rheolaeth leol ar y farchnad dai. Wythnos ynghynt, ym Mhen-y-groes, daeth deugain o bobl ynghyd i wrando ar y ffigyrau hyn ac i ddatgan fod yn rhaid gweithredu. Petai Gwynedd yn dangos y ffordd drwy gefnogi galwad Deddf Eiddo, gallai cynghorau eraill ddilyn eu hesiampl, a mynnu fod y Cynulliad yn rhoi hyn ar dop yr agenda.

Mae'r sgrifen ar y mur. Fe'n rhybuddiwyd. Doedd yna run ffordd hawdd o dorri'r newydd.

19 Medi, 1998

Colli'r Steddfod 'go iawn' ar y teledu

Rydw i'n cael Eisteddfod go wahanol eleni – Eisteddfod ar y soffa.

Ymddengys 'mod i wedi bod yn ei gor-wneud hi, felly mae'n rhaid i mi gymryd gorffwys. Nid fi sy'n teimlo hynny – y doctor sy'n deud, ac er mawr siom i mi, fe ychwanegodd – 'Dim Eisteddfod'. I'm teip i, ystyrir steddfod yn rhywbeth sy'n gwneud drwg mawr i bwysau gwaed. Felly, am y tro cyntaf ers Bro Myrddin, rhaid torri'r record o fynychu pob prifwyl yn ddi-dor ers bron i 30 mlynedd, ac aros adre.

Dwi'n gandryll. Ro'n i wedi edrych ymlaen mwy at Eisteddfod Tyddewi na'r un arall. Wedi Dyffryn Nantlle, gogledd Penfro ydi'r lle mwyaf hudolus yn y byd. Pam na allwn i golli Eisteddfod mewn lle hyll – fel Cwm Rhymni neu Ben-y-bont?

Edrychais ymlaen yn ofnadwy at Eisteddfod yr Urdd yng Nghrymych, a beth ddigwyddodd? Ro'n i'n orweddog yn Ysbyty Gwynedd wedi colli fy mhendics. Ymddengys fod y duwiau wedi penderfynu nad ydw i am gael mwynhau Eisteddfod yn Sir Benfro.

'Gewch chi lot mwy o'r Steddfod, wyddoch chi,' meddai cydnabod wrth geisio fy nghysuro. 'Mae 'na raglenni gwych ar y teledu.' Ers pedwar diwrnod felly, dwi'n eistedd ar y soffa yn gwylio darpariaeth S4C, a rydw i wedi syrffedu. Wn i ddim ydi S4C digidol yn well, ond nid hon yw fy steddfod i. Rydw i wedi gwrando'n astud ar y profiadol Huw Llywelyn Davies, y ddwy walltog, Sian Cothi a Ffion Dafis, ar y syber Alwyn Humphreys, ac wedi bod yn dilyn Hywel a Nia ar

Radio Cymru. Ac fel prifardd y Goron, dwi'n 'Bored' hyd yn oed os nad ydw i'n 'Vennison'…

Ar y soffa, rydw i wedi bod yn gwneud dipyn o hunan-ddadansoddi. Be ydw i'n ei licio gymaint am y Steddfod? Pam 'mod i'n teimlo gymaint allan ohoni, fel taswn i wedi ngadael ar ynys bellenig? Am fod pawb arall yn Nhyddewi, i gychwyn. Un peth ydw i'n ei hoffi am y Steddfod ydi'r holl gydnabod yno. Nid yn unig rydw i'n cael byw efo'r teulu ar y Maes Carafannau am wythnos, ond rydw i'n cael cyd-fyw gyda ffrindiau a chydnabod hefyd. Mae gweithio ochr yn ochr â hwy, eu cyfarch ar y ffordd i'r gawod foreol, bwyta gyda hwy gyda'r nos a mwynhau cyd-stiwardio neu ambell noson allan yn cyfoethogi'r berthynas. Mae 'na sawl un nad ydw i'n eu gweld dim ond mewn steddfod, a rywsut, dydi o ddim ots. Rydych chi'n llithro'n ôl i'r hen gydnabyddiaeth, ac mae'r teimlad yma o berthyn yn gryf iawn.

Yn ail agos i hyn, mae trafod cyflwr y genedl. Ym mhob steddfod, mae rhywun yn cael amser i gymryd stoc, i edrych gyda'n gilydd ar y sefyllfa gyfoes, holi, dadansoddi a thrafod y ffordd ymlaen. Yn y Steddfod, gallwch ymdeimlo ag ysbryd y genedl, beth yw ei hiechyd yn wleidyddol, ac wrth gwrs, iechyd y Gymraeg. Cewch gyfle i siarad â channoedd o bobl a gweld beth yw'r pryder neu'r hapusrwydd diweddaraf. Pethau bach, mi wn, ond pethau hollol bwysig. Ni cheir hyn o gwbl yn rhan o ddarpariaeth S4C.

Mae popeth arall yn cael ei drafod mewn manylder. Pa nodau mae ambell unawdydd yn gallu eu cyrraedd, dewis eraill o aria. Mi wrandewais am bum munud go dda heddiw (Mawrth) ar Huw Llywelyn Davies yn trafod Dawns y Glocsen.

Rydw i wedi gweld dawnswyr mewn brethyn, ieuenctid yn canu ei hochr hi, llefaru croyw a dathlu gwaith beirdd a llenorion – ond dim gair am bolitics. Rydw i wedi gweld campweithiau celf a chrefft, pytiau gan ddarpar ddysgwyr y flwyddyn, sylw i Orsedd Patagonia, ond dim siw na miw am dynged yr iaith… Rydw i yn berson (cymharol) ddiwylliedig, coeliwch fi, ond hyn a hyn o Gatrin Aurs a Mirain Hafs y gallaf wrando arnynt. Mae seiniau swynol yn braf i wrando arnynt, ond ambell dro, rydych yn ysu am dipyn o realiti.

'Steddfod dda?' – ydi hyd yma h.y. haul a dim protestio. Cawsom Rhodri Morgan ddydd Mawrth yn gofyn i ymgyrchwyr beidio protestio gan y byddai hyn yn beth 'negyddol'. Dylent dderbyn yr Eisteddfod am 'yr hyn ydyw, sef llwyfan i dalent diwylliannol Cymru'. Rydw i wedi darllen y geiriau hyn yn ofalus, a fedra i yn fy myw ddeall sut mae pobl alluog fel Mr Morgan yn gallu gwahanu diwylliant a iaith. Pam ei bod yn gywir i ganu ac adrodd yn yr Eisteddfod, ond i beidio protestio ynglŷn â'r iaith? Mae fel cael gŵyl o grefftwyr yn arddangos eu doniau gyda blodau a llysiau, ond yn cael eu gwahardd yn gyfangwbl rhag sôn am y niwed a wneir i'r amgylchedd. Pam yr hunan-sensoriaeth? Be ydi'r obsesiwn efo bod yn neis? Pam na allwn ni drafod a chodi llais am yr hyn sy'n bygwth holl sylfaen yr Eisteddfod – sef yr iaith Gymraeg?

Mae ar fin dod, coeliwch fi. Erbyn i'r geiriau hyn ymddangos mewn print, dwi'n darogan y bydd y glaw a'r protestio wedi digwydd. Bydd protest am ddiffygion yr arolwg iaith gan Gymdeithas yr Iaith wedi bod ar ddydd Mercher, protest yn erbyn cau ysgolion gwledig ddydd Iau a chyfarfod ynglŷn â rheoli'r farchnad dai ar y dydd Gwener – heb sôn am brotestiadau Cymuned. Wn i ddim faint o sylw gaiff y rhain ar Docyn y Dydd, ond byddai'n ddifyr codi'r gwaharddiadau arnynt, er mwyn i bobl tu allan i'r Eisteddfod gael bod yn rhan o'r drafodaeth.

Bu sôn yr wythnos dwytha am ffwdan ynglŷn â phosteri a ymddangosodd yn galw am losgi Simon Glyn. Beth petai bygythiad felly yn dod yn real a bod yr adain dde yng Nghymru yn dechrau llosgi cenedlaetholwyr? A fyddai hynny yn achos protest ar faes yr Eisteddfod, neu a fyddai'r Prif Weinidog yn dal i ddadlau mai 'difetha'r Eisteddfod' fyddai hynny hefyd? Ymddengys i mi y byddai hyd yn oed Rhodri Fawr yn dechrau pryderu bryd hynny, felly mae'n amlwg mai mater o raddfa ydyw. Nid yw'r bygythiad presennol i'r iaith Gymraeg yn ddigon difrifol i gyfiawnhau codi llais yn ei erbyn.

Y cwbl ddyweda i ydi hyn. Pan fydd pobl ifanc Sir Benfro yn y flwyddyn 2052 yn edrych yn ôl ar y dyddiau bregus i'r Gymraeg ar droad y ganrif byddant yn cofio am y bygythiadau difrifol i ysgolion Blaen-ffos, Hermon, Dinas a Trewyddel a'r modd y bu bron iddynt gael eu cau. Byddant yn cofio'n ôl i'r dyddiau nerfus pan basiwyd Deddf Iaith Newydd o drwch blewyn yn y Cynulliad, ac yn cofio'r frwydr enfawr a fu i reoli rhywfaint ar y farchnad dai, a byddant yn ddiolchgar am brotestiadau glew y dyddiau hynny a sicrhaodd fod modd cynnal Eisteddfod Genedlaethol unwaith eto ar dir gogledd Penfro. Bydd pasiant y plant yn cofio'r ymgyrchu taer fu i warchod pentref Solfach rhag colli'r teulu olaf o Gymry, a bydd noson yn y Pafiliwn i goffáu Yr Ymprydiwr.

Bydd cynhyrchwyr rhaglenni hanes yn chwilota archifau S4C am luniau o'r protestiadau adeg Eisteddfod Tyddewi, ac yn methu'n lân a'u canfod. Na, bryd hynny, yn 2002, doeddan nhw ddim yn cael eu hystyried yn ddigon pwysig i'w cofnodi. Rhyfedd o fyd.

10 Awst, 2002

Mae Redwood yn esgymun yn Wokingham hyd yn oed

Roedd hi'n werth chweil gwneud y siwrne – petai ond i sylweddoli pa mor bell ydyw.

Doedd hi'n syndod yn y byd na wyddai ddim am Gymru ac yntau'n byw mor bell oddi wrthi. Chwe awr o daith, dros ddau gant a hanner o filltiroedd – Crewe, Stafford, Birmingham, Oxford, High Wycombe, Maidenhead, Wokingham. Roedd Sadwrn diwetha'n grasboeth, a'r lle olaf ro'n i am ei dreulio ynddo oedd mewn bws mini ar yr M40. Ond roedd y clwy hela Redwood wedi ein taro, felly roedd yn rhaid mynd.

Roedd y pentwr o daflenni melyn roedden ni am eu dosbarthu yn eitha plaen eu neges. 'Fel etholwyr Wokingham, rydych wedi pleidleisio dros John Redwood, Tori asgell dde, fel aelod seneddol. Yng Nghymru, fe bleidleision ni dros bleidiau asgell chwith. Dim ond 6 o'r 38 sedd yng Nghymru sy'n cynrychioli Torïaid. Sut hoffech chi i Neil Kinnock benderfynu yr hyn sydd orau i Wokingham? *Get him out of Wales. Demand Redwood back*.'

Tybed sut ymateb gaen ni? Fydden nhw'n troi'n ymosodol? Roedden ni'n mentro i ffau'r llewod.

Tref fechan yw Wokingham. Yr argraff gyntaf a gaech oedd nad oedd fawr yn digwydd yma. Roedd yna farchnad wrth Neuadd y Dref, a siopwyr yn mynd a dod yn hamddenol. Sut yn y byd oedden ni i fynd o'i chwmpas hi? Roedden ni wedi gwneud trefniant i gyfarfod ffotograffydd o'r papur lleol, dyn neis iawn. Trefnodd ni mewn dwy res a chael pawb i wenu. Fydde waeth i ni fod ar drip Ysgol Sul ddim. Daeth yr heddlu heibio i'n holi, dyn a dynes neis iawn, ac eglurais ein cynlluniau. '*Smashing*,' meddai'r blismones gyda gwên.

Dyma godi'r faner gyda'r llythrennau mawr, '*GIVE DEMOCRACY A CHANCE. WALES NEVER VOTED REDWOOD*', a dechrau rhannu'r taflenni. Ymhen dipyn, roedden ni wedi magu digon o blwc i chwarae cerddoriaeth ar gaset. Gan nad oedd neb yn gwrthwynebu hyn, gafaelodd Aled yn y corn siarad.

'*The people of Wokingham, we've come all the way from Wales!*' Trôdd un neu ddau eu pennau. '*We've come to tell you that we don't want John Redwood as Secretary of State for Wales. You voted for him! Demand him back!*'

Trodd un dyn bach a gweiddi: '*I never voted for him!*' meddai'n groch.

Wedi deng munud o rannu'r taflenni, roedden ni wedi dod i ddeall y teimladau lleol yn well. Doedd neb yn gwrthwynebu ein neges. Lleiafrif oedd yn gwrthod taflen. Roedd y rhan fwyaf am wybod beth ar y ddaear oedd wedi tarfu ar lonyddwch cysglyd Wokingham. Am y tro cyntaf yn eu bywydau, roedden nhw'n clywed cerddoriaeth Gymraeg.

'Rwyf mor hap, rwyf mor hap, hap-hap-hap-us i fod,' meddai llais Diffiniad. Darllenai'r bobl y daflen – a gwenu.

'*We don't want him here either,*' meddent.

Rhaid oedd newid byrdwn y neges:

'*We don't want him,*
You don't want him,
Get him out in the next election!'

Wedi awr a hanner, ro'n i'n dechrau dyfalu pwy gebyst oedd wedi pleidleisio dros Redwood. Ai Vulcan oedd o wedi'r cwbwl? Sut na ddaethom ni ar draws unrhyw un a fyddai'n eiriol ar ei ran?

Roedd ambell un yn fwy dig na'r gweddill. '*If I wanted someone like that to represent me,*' meddai, '*I'd have gone to*

Germany – fifty years ago.' Roedd yn gwbl o ddifri.

Gyda dipyn mwy o hyder, dyma godi'r faner a cherdded draw i Swyddfa'r Ceidwadwyr. Tra roedd yr heddlu yn ein gwylio, dyma godi'r faner ar flaen yr adeilad a rhoi sticeri Tafod y Ddraig dros y fynedfa. 'Dydi hyd yn oed y Toris yma ddim yn ei hoffi,' meddai'r plismon.

Aethom draw i gaffi i gael paned cyn troi am adre, a chael croeso gan y wraig. Roeddem wedi anrhydeddu'r caffi gyda'n presenoldeb. Na – doedd hithau ddim eisiau Redwood chwaith.

Oedd, roedd o'n syndod, rhaid cyfaddef. Er gwaethaf ei fwyafrif helaeth, roedd hi'n dda gweld ochr arall y geiniog. Os oedd peth o'u gwybodaeth hwy am Gymru wedi ei ehangu, roedd peth o'n rhagfarn ni tuag at bobl Wokingham wedi ei chwalu hefyd. Ar hyd a lled Prydain, mae yna drwch o'r bobl yn anniddig iawn a'r modd y cânt eu llywodraethu. Fe ddylem ni dynnu cysur o'r ffaith hon.

Tua hanner nos, roeddem ni wedi cyrraedd Bangor, ac roedd angen gwneud y rhan olaf o'r daith gyda char i hebrwng cyfaill i Lannor. Rhwng y cloddiau cul, yr awel fwyn ac arogl gwyddfid yn llenwi Llŷn, ro'n i'n teimlo ein bod wedi dod yn bell iawn o Wokingham. Eto, roedd effaith polisïau Redwood a Major yn gallu ymestyn cyn belled â hyn. Dyna pam yr oedd Edwin yn ddi-waith ac yn gwaredu derbyn cardod Butlins yn lle cael swydd go iawn. Rhywbeth bach iawn oedden ni wedi ei wneud y Sadwrn hwnnw, ond o leia ddaru ni ddim aros adref.

30 Gorffennaf, 1994

Cyndyn ydi'n sefydliadau Cymreig i gydnabod eu dyled i ymgyrchwyr

Peth rhyfedd ydi hanes. Mae o'n dibynnu yn llwyr pwy sy'n ei sgwennu fo.

Cymrwch chi erthygl John Walter Jones ar y Bwrdd Iaith yn y rhifyn cyfredol o'r *Goleuad*. Dydi hi ddim yn erthygl hynod o oleuedig, ond mi fydd yn destun pwysig i seicolegwyr y dyfodol fydd yn ymchwilio i gymhlethdodau'r Cymry ynglŷn â'u hanes.

Y dasg roddwyd i Mr Jones ar ran *Y Goleuad* oedd ysgrifennu erthygl am Fwrdd yr Iaith Gymraeg – ei swyddogaeth a'i sefydlu. Dyma benbleth yn syth i swyddog o'r Bwrdd Iaith. Sut i ddisgrifio hanes y Bwrdd heb gyfeirio at y frwydr wleidyddol oedd yn rhan annatod ohono? Ceir ymdrech lew gan Mr Jones, sy'n llwyddo i ysgrifennu rhyw ddwy fil o eiriau heb gyfeirio unwaith at Gymdeithas yr Iaith Gymraeg.

Dydi hon ddim yn dacteg newydd. Cyndyn oedd unrhyw gyfeiriad at rôl Cymdeithas yr Iaith pan sefydlwyd y Pwyllgor Datblygu Addysg Gymraeg, heddwch i'w lwch! Pan gofnodir hanes sefydlu S4C, prin y cyfeirir at ympryd Gwynfor Evans, a llai byth o sylw a roddir i ddegawd o ymgyrchu gan Gymdeithas yr Iaith. Mae'n dal yn sownd yn y gorffennol fel mudiad o stiwdants ddaru beintio arwyddion ffyrdd yn y Chwedegau. Chafodd hi rioed dyfu ac aeddfedu. Ar wahân i ambell fardd unig, prin yw'r teyrngedau a delir iddi. Nid damwain mai ffilmiau du a gwyn o hogiau hirwallt a ddefnyddir gan y Sianel i'w phortreadu. Datganiad gwleidyddol pendant ydyw. Mae'n dabŵ.

I'r sawl sy'n derbyn *Y Goleuad* felly, dyma ychydig o

droed-nodiadau i erthygl Mr John Walter Jones, allai fod o gymorth i daflu goleuni dipyn yn wahanol ar yr hanes.

'*Anodd iawn dweud lle mae'r Genesis,*' medde Mr Jones am gychwyn Bwrdd yr Iaith. Ddim o gwbl. Mae'r Genesis yn mynd yn ôl i Gyfarfod Cyffredinol Cymdeithas yr Iaith ym mis Hydref 1982 pan gychwynnwyd yr ymgyrch dros Ddeddf Iaith newydd.

'*Tad y Ddeddf Iaith – Syr Wyn Roberts.*' Wn i ddim yn iawn pa Wyn yw hwn. Os mai'r cyn is-ysgrifennydd gwladol ydyw, argraff go wahanol gefais i. Pan euthum ar ddirprwyaeth yn 1983 i ofyn iddo am Ddeddf Iaith, 'Na' pendant oedd ei ateb. Falle mai 'Ie' oedd o wedi bwriadu ei ddweud, neu falle fi a gam-glywodd. Tad rhyfedd iawn yw'r sawl na fyn i'w blentyn gael ei eni. Falle mai tad i blentyn siawns yw Syr Wyn, un hynod eiddil – a anwyd er ei waethaf.

'*Ymateb i bwysau gwleidyddol rhai fel Gwilym Prys Davies a Dafydd Wigley wnaeth Peter Walker.*' Hanner, neu chwarter, y gwir yw hyn. Ni cheir unrhyw gyfeiriad at gyfarfod pwysig a gynhaliwyd yn Ladywell House, Y Drenewydd, ar Orffennaf 16, 1983. Falle nad oedd o mor bwysig â hynny, gan mai Cymdeithas yr Iaith a'i galwodd. Ond yno y daeth Meredydd Evans, Gwilym Prys Davies, Dafydd Jenkins, Carl Clowes ac eraill at ei gilydd i lunio gweithgor a ddrafftiodd Ddeddf Iaith. Yn ddiweddarach y lluniodd Dafydd Wigley ei fesur ei hun. Nid oes unrhyw gyfeiriad at bwysau gwleidyddol ymgyrch dor-cyfraith ddeng mlynedd, ralïau, deisebau. Falle mai fi sy'n ffantaseiddio…

Does dim cyfeiriad chwaith at ymateb negyddol y Llywodraeth asgell dde wrth-Gymreig yr oedd John Walter Jones mor brysur yn ei gwasanaethu ar y pryd – a'r un y mae'n dal i'w gwasanaethu. Esgusodir ei harafwch, a'r unig feirniadaeth yw'r un o genhedlaeth o Gymry nad aeth i'r Gwasanaeth Sifil.

Mae'r cyfan yn mynd yn ormod o embaras i Mr Jones ei gamliwio ymhellach, ac mae'n gorffen y darn hanesyddol gyda'r geiriau: '*Ta waeth, cafwyd Deddf Iaith ar Ragfyr 21 1993.*' Dim cyfeiriad at sut y gwrthodwyd pob ymgais i'w chryfhau. Dim cyfeiriad at y Llywodraeth yn rhoi naw aelod seneddol Torïaidd o Loegr ar y pwyllgor benderfynodd ar ei thynged. Diawch, does dim eisiau codi hen grachod fel yna. Dewch inni anghofio'r anghytuno a dyrchafu'r gair 'consensws'. '*Braf yw clywed y gair yma o'r diwedd,*' meddai Mr Jones.

'Consensws' o ddiawch. Dyna ydych chi'n galw'r llu ffurflenni sy'n dal i'n cyrraedd yn ddyddiol? Dyna ydych chi'n galw'r gorchymyn i '*Speak English*' a glywn yn rhy aml o'r hanner? Ddim yn hollol – mae gan y Bwrdd Iaith eu hystyr arbennig eu hunain i'r term. 'Consensws' iddynt hwy yw cydsynio i dderbyn y clod am waith rhywun arall. Os ydi aelodau Cymdeithas yr Iaith wedi picedu Marks and Spencers bob Sadwrn am flwyddyn ac yn cael mesur o lwyddiant, consensws Bwrdd yr Iaith yw cysylltu â'r Wasg a hawlio'r clod.

Pan fo mudiad fel Cefn yn perswadio Safeway i newid eu polisi iaith, consensws Bwrdd yr Iaith yw cyfeirio at ewyllys da y cyrff preifat.

'*Y sialens a wynebwn yn y maes hwn* (sector breifat) *yw ceisio dylanwadu heb rym uniongyrchol Deddf Gwlad.*' Erbyn diwedd yr erthygl, mae realiti fel 'tai yn gwawrio ar Mr Jones. Ond: '*Mae bodolaeth Deddf Iaith wedi codi ymwybyddiaeth masnachwyr wyneb galed*'.

Ydi o? Ydi o mewn gwirionedd? Un corff yn unig a gyfeiriaf ato – y corff diweddaraf o fasnachwyr wyneb galed i godi dau fys ar yr iaith Gymraeg. Neb llai na – British Gas.

11 Chwefror, 1995

Cerdded yn dalog a chefnsyth

Wnawn ni byth anghofio nos Iau, Medi 18, 1997. Daw yn ddyddiad mor hanesyddol â'r cyntaf o Fawrth, 1979. Beth bynnag oeddem ni'n ei ddarogan, ddaru'r un copa walltog ddisgwyl noson mor gynhyrfus â'r un a gawsom. Bydd sôn amdani am flynyddoedd i ddod. Cedwais y gobaith tan ganlyniad Gwynedd. Rydw i'n optimist dall, ac yn anobeithiol am wneud syms, ond erbyn chwarter i bedwar, roedd hyd yn oed ffŵl fel fi yn sylweddoli'r gwir hyll. Doedd bosib y byddai Caerfyrddin yn rhoi'r ddwy fil ar bymtheg angenrheidiol o bleidleisiau oedd eu hangen. Dechreuais baratoi fy hun yn seicolegol ar gyfer Siom. Teimlwn yn gorfforol sâl. Fyddwn i ddim yn gweld Cymru'n rhydd yn ystod fy mywyd i. Roedd crafangau'r Felan eisoes yn fy ngwasgu. Yna – digwyddodd – y 47,000 o bleidleisiau 'IE' o Gaerfyrddin o'u cymharu â'r 26,000 o bleidleisiau 'NA'. Llifodd dagrau, gwasgodd pawb ei gilydd mewn gorfoledd gwallgof. Roedd gwyrth wedi digwydd – yr 'Haleliwia', chwedl John Roberts Williams, a fedra i ddim meddwl am well gair i grisialu'r foment.

Y syndod bore wedyn oedd fod y peth yn dal yn wir.

O gwmpas Caernarfon y bore canlynol, roedd pobl yn cerdded o gwmpas efo gwên wirion ar eu wynebau. Roedd blinder yn eu llethu, ond roedd pawb am rannu eu stori – y rhai a aeth i'w gwelyau yn anobeithio ac a ddeffrôdd i sŵn dathlu, y rhai obeithiodd i'r eithaf ac a gafodd eu gwobrwyo o'r herwydd. Fedrwn i ddim atal fy hun rhag mynd i gastell Caernarfon a cherdded o gwmpas ei muriau gyda baner y ddraig goch. Ie – peth cwbl hurt i'w wneud, ond dwi'n

41

meddwl fod pawb y diwrnod hwnnw yn cael maddeuant am golli peth arnynt eu hunain.

O edrych ar y peth yn oeraidd, mae llond gwlad o ddiffygion wrth gwrs. Nid braint yr Alban a gawsom, ond ryw dwll-dan-grisiau o Asembli heb hawl i newid dim byd mewn gwirionedd. Dim ond o fewn trwch blewyn y cawsom honno, ac mae 'na hen gecru a ffraeo ar ddod. Pan godd Ron Davies, Peter Hain, Dafydd Wigley, Win Griffiths a Richard Livsey eu dwylo mewn gorfoledd ar ddiwedd y noson, daeth iâs o ddiflastod drosof. Dynion canol oed mewn siwtiau oedd y rhain unwaith eto – ac er cystal dyn yw pob un ohonynt – dynion *ydyn* nhw a buddiannau digon tebyg sydd ganddynt. Rydan ni eisiau i Senedd Cymru fod yn wahanol – efo cymaint o amrywiaeth ag y gallwn ei gael. Rydan ni eisiau'r hen a'r ifanc yn ogystal â'r canol oed. Rydan ni eisiau hanner cant y cant o'r aelodau yn ferched. Rydan ni eisiau pobl heb freintiau yn ogystal â rhai dosbarth canol. Rydan ni eisiau amrywiaeth cenhedloedd a chefndir yn ogystal â phobl wyn. Dim ond wrth gynnwys y trawsdoriad eang yma sy'n gwneud Cymru y cawn ni Senedd fywiog, ddifyr.

Ond yr hyn sy'n dal i'm synnu yw effaith seicolegol y canlyniad. Fel yr esgorodd '79 ar ddegawd cyfan o wylofain a rhincian dannedd, bydd canlyniad '97 yn gwbl i'r gwrthwyneb. Bydd ein cefnau yn sythach a'n pennau yn uwch – i ddefnyddio geiriau Gwynfor wedi'r fuddugoliaeth hanesyddol arall yng Nghaerfyrddin. Y noson wedi'r cyfrif, roeddwn yn y Gymdeithas Lenyddol ym Mhen-y-groes a chriw da wedi dod ynghyd, er mor flinedig oeddynt. Pan yn diolch i Dafydd Glyn Jones am ei ddarlith, cyfaddefodd y wraig na wyddai sut i wynebu pawb petai'r bleidlais wedi bod yn negyddol. Soniodd fel y byddai pleidlais 'Na' wedi gwneud sbort glân o bopeth yr oedd y siaradwr wedi cyfeirio ato. Roedd yr arwyddocâd yn dechrau ymylu ar y cosmig. Dros baned yn ddiweddarach, yr un oedd y pwnc ar wefusau pawb – profiadau'r noson cynt. Yna, wrth droi ei de, edrychodd Dafydd Glyn yn sobor ar bawb a dweud wrthym am sylwi'n fanwl ar fap canlyniadau'r Refferendwm. Roedd ei debygrwydd i fap Cymru yn yr unfed ganrif ar ddeg yn anhygoel. O ran difyrrwch, gwnewch hynny, ac mae'r tebygrwydd yn syfrdanol. I diriogaeth y bleidlais 'Na' y daeth Arglwyddi'r Mers. I dde Penfro y daeth Iarll Amwythig, Montgomery. I Gonwy a Fflint y daeth Iarll Caer, i ganol Powys yr aeth Mortimer. Tiroedd Aberhonddu a'r ffin gymrodd Iarll Henffordd tra cymerwyd Bro Morgannwg a Chaerdydd gan Fitzhammo, a Chasnewydd, Torfaen a Mynwy gan Ballon. Yn dyst i'w grym mae'r cestyll yn dal i sefyll naw can mlynedd yn ddiweddarach.

Yng nghanol yr holl dir coch ar y map cyfoes, mae ynys fawr werdd. Yn y Rhondda, Cynon-Tâf, Pen-y-bont, Caerffili, Merthyr a hyd yn oed Blaenau Gwent, pleidlais 'Ie' a gafwyd. Yng Nghastell Nedd y cafwyd y gefnogaeth gryfaf. Dyma i mi ganlyniad pwysicaf y Refferendwm. Peidiwch eto â chwarae ar ofnau'r De yn erbyn y Gogledd – draw o goridor pwerus yr M4, yr oedd y difreintiedig yn y Cymoedd yr un mor groch eu cri â'r diarffordd yn y Gorllewin. Senedd a dim llai fyddai yn ateb gofynion Cymru.

Fe hoffwn ddiweddu gyda geiriau'r awdur o Nigeria, Ben Okri. 'Yr hyn ydi cenhedloedd a phobl,' meddai Okri, 'yw swm a sylwedd y chwedlau y maent yn tynnu maeth ohonynt. Os adroddant chwedlau sy'n gelwydd i'w gilydd, byddant yn dioddef canlyniadau'r celwydd hwnnw. Ond os adroddant chwedlau sy'n wynebu'r gwir amdanynt eu hunain, byddant yn rhyddhau eu hanes ar gyfer gogoniannau'r dyfodol.'

Dyna a wnaeth y Cymry nos Iau y deunawfed, gan ryddhau eu hanes yn sgîl hynny.

27 Medi, 1997

Rydan ni wedi methu â gwarchod y genhedlaeth ifanc rhag talu'r pris

Rhyw hel meddyliau yr oeddwn yng nghyntedd Llys Ynadon Caernarfon ddydd Iau diwethaf. Rydw i wedi treulio oriau yno'n sefyllian dros y blynyddoedd, ond doeddwn i ddim wedi bod yno ers cryn amser. Llanc ifanc, Rhys Owen, o Ddyffryn Nantlle oedd o flaen ei 'well'.

Flwyddyn yn ôl, mi aeth Rhys a Lleucu, merch Ffred Ffransis, i adeilad y Bwrdd Iaith a chreu difrod yno. Rhan o weithgarwch wythnosol ydoedd yn erbyn y Quango Iaith, ac o blaid system addysg deg i Gymru. Cawsant ddau gant a hanner o ddirwy yr un am eu gweithred, a phenderfynodd Rhys nad oedd am dalu. Bu'n disgwyl blwyddyn am ei dynged, ac roedd yn hanner disgwyl dedfryd o garchar y diwrnod hwnnw.

Roedd cyntedd y llys yn union fel ag y bu erioed. Lle diflas heb ddigon o le i eistedd ynddo. Gan nad oes unrhyw ystyriaeth yn cael ei roi i'r diffynyddion a'u teuluoedd, gorfodir i bawb fod yno erbyn deg o'r gloch y bore, waeth pa amser y gwrandewir eich achos. Nid oes unrhyw gyfleusterau i gael paned yno, felly y cwbl fedrwch chi ei wneud yw sefyll am oriau fel gwartheg mewn mart. Pan fo'r fainc yn barod i'ch gweld, mae'r clerc pwysig yn gweiddi eich enw. Fore Iau diwethaf, roedd yn arbennig o lawn gyda phobl tref Caernarfon yn sefyllian yn flinedig ac yn dyfalu sut hwyliau oedd ar y fainc y bore hwnnw.

Un peth sy'n lleddfu'r diflastod yw gweld cefnogwyr yn galw heibio. Cawsom sgwrs gyda hwn a hwn a hon a hon, ac yna daeth y Parch. Emlyn John i mewn – ymgyrchwr talog nad oeddwn wedi ei weld ers tro. Wedi holi a hel achau, dyma ddeall ei fod yn daid i Rhys. Rhyfedd fel mae argyhoeddiad ac angerdd yn cael ei drosglwyddo o un genhedlaeth i'r llall. Siarad am enwau y buom, ac Emlyn John yn ymddiheuro am iddo adael ei beiriant clywed adref. Doedd dim tosturi i'w gael gan y clerc. 'Wnewch chi fod ddistaw?' meddai'n flin, a darfu'r sgwrs yn ddisymwth.

Tu allan, roedd hi'n ddiwrnod oer o Ragfyr a muriau'r castell yn llwyd a bygythiol. Cicio'n sodlau oedd yr unig beth i'w wneud, a syllu ar y cloc. Uwch fy mhen, ar wal y llys, roedd cerflun i gofio'r Arglwydd Penrhyn a choron ar y top. Roedd y plac yn nodi gŵr mor dda a rhinweddol ydoedd. Cawsom drafodaeth fer a ddylai'r fath blac gael llonydd yno i'n hatgoffa o ormes Teulu'r Penrhyn neu a ddylid ei dynnu oddi yno. 'Distawrwydd!' gwaeddodd y dirprwy glerc.

Yn chwarae wrth fy nhraed, roedd Cai, mab bychan Branwen Nicholas. Mae Cai yntau yn hen gyfarwydd â llysoedd bellach. Mor ddiniwed oedd ei ben melyn, yn difyrru ei hun efo'i gap toslyn ac yn gwasgaru creision o gwmpas y lle. Ddeunaw mlynedd yn ôl, dyma oedd oedran Rhys a Lleucu. Wrth i'w rhieni hwy ymddangos gerbron llysoedd y Saithdegau, gydag ymgyrchoedd arwyddion ffyrdd a'r sianel. Ddaru nhw ddychmygu erioed y byddai eu plant hwy yn ymddangos mewn llysoedd ynadon yn y Nawdegau? Naddo, erioed. Daeth rhyw iâs drosof o sylweddoli mor debygol ydoedd y byddai Cai yntau yn ei dro – mewn cwta bymtheng mlynedd efallai, yn sefyllian yn nerfus cyn ei achos llys cyntaf.

Fe gefais fy rhyddid yn y prynhawn. Euthum i weld plant ysgol Penrhyndeudraeth yn ymarfer eu cyngerdd Nadolig. Llond neuadd o blant – i gyd yn medru'r Gymraeg – yn canu ac yn adrodd Stori'r Geni, a honno mor newydd ag erioed. Dros y rhain y gweithredodd Rhys a Lleucu. Er mwyn i

Gymreictod eu cyfnod cynradd barhau i'r ysgol uwchradd a thu hwnt. Er mwyn iddynt beidio gorfod cystadlu yn erbyn ei gilydd am freintiau prin y Toriaid, ond yn hytrach iddynt gael tyfu mewn cymuned a dysgu gwerthoedd gwâr. Er mwyn i bob un gael ei dderbyn am yr hyn ydyw, ac nid am yr hyn y llwydda i'w wneud mewn profion ac arholiadau. Am mai creu cymeriad yw diben addysg, nid creu Elw.

Yn hwyrach y noson honno, cefais alwad ffôn i ddweud beth ddigwyddodd yn y llys. Fel petai o ran sbeit, roedd achos Rhys wedi cael ei gadw tan y diwedd. O ddeg yn y bore, hyd hanner awr wedi pedwar y prynhawn, bu Rhys, ei deulu a'i ffrindiau, yn aros yn amyneddgar i weld beth oedd penderfyniad y Fainc. Gwadwyd iddo'r sylw y byddai dedfryd o garchar yn ei roi. Dewis yr opsiwn hawdd a wnaethant, a mynnu y byddai dwy bunt a hanner yn cael ei thynnu o fudd-dal Rhys bob wythnos nes byddai dau gant a hanner o bunnau wedi ei thalu.

Tydi'r math yma o stori ddim yn gwneud penawdau newyddion. Soniwyd 'run gair y noson honno ar y teledu na'r radio am ddiwrnod hir Rhys, a'r cymysgwch o deimladau a brofodd wedi'i achos llys. Yn nyddiau ei rieni, byddai stori o'r fath wedi cyrraedd tudalennau'r papurau newydd o leiaf, a byddai wedi teimlo peth gwerth yn yr aberth. Fel un o'r 'ail genhedlaeth' rhaid iddo frwydro heb i'r Wasg na fawr o neb arall gymryd sylw.

Ond bob wythnos, am y cant ac ugain o wythnosau i ddod byddaf yn cofio fod dros ddwy bunt o fudd-dal pitw Rhys yn cael ei ddwyn gan y Wladwriaeth i dalu'r ddirwy. A gyda'r aberth ddistaw yma mi fyddaf yn sylweddoli inni fethu gwarchod cenhedlaeth Rhys a Lleucu rhag gorfod talu'r pris. Ys gwn i os gallwn arbed cenhedlaeth Cai?

23 Rhagfyr, 1995

Saith mil o famau a phob un yn chwaer i mi

Noswaith o Fehefin oedd hi, ac yn Eglwys Aberdaron, rhwng caneuon y côr, gallwn glywed sŵn y tonnau yn taro yn erbyn y creigiau. Rhwng sŵn y môr, y canu, a'r muriau hynafol, yr oeddwn yn ôl ymhell bell mewn amser, a bydd naws ac awyrgylch y noson yn aros gyda mi am amser maith.

Efallai, oherwydd amgylchiadau personol, yr oedd mwy o reswm i'r noson honno fod yn un gofiadwy. Y Sul hwnnw, ychydig oriau ynghynt, yr oedd Manon wedi dod yn fam. Bob tro y mae un o fy chwiorydd yn rhoi genedigaeth, y mae'n achlysur arbennig, ond pan mai'r cyntaf-anedig ydyw, mae'n fwy arbennig byth. Yn ogystal â bod yn ferch, yn wyres, yn fodryb, yn wraig, yn chwaer, mae'n gwneud y cam benywaidd eithaf ac yn ymuno â'r chwaeroliaeth enfawr honno o famau'r byd. Gyda fy chwiorydd eraill ar adeg genedigaeth, mae wedi bod yn fater syml o bicio i Ysbyty Dewi Sant neu Ysbyty Gwynedd i weld y baban cyn bod hwnnw'n bedair awr ar hugain. Ond gan fod Manon yn byw ym mhen arall y wlad, rhaid ymarfer amynedd ac uniaethu gyda hi o hirbell.

Hyd yma, mae'r bychan – bachgen – yn ddi-enw. Wn i ddim sut mae o'n edrych, sut bu amgylchiadau ei gyrraedd. Ac eto, yr ydym ni oll yn gyfarwydd iawn ag o. Onid ydyn ni gyd fel teulu a ffrindiau wedi clywed amdano ers cyn Dolig? Yr ydyn ni wedi bod yn edrych ymlaen, wedi bod yn cydymdeimlo, gobeithio, ofni, teimlo'n gynhyrfus ynghylch hwn ers dros hanner blwyddyn. Do, buom yn cyfri'r dyddiau, ac o'r diwedd fe ddaeth. Cyflawnwyd ein gobeithion eithaf, a bellach gwyddom i sicrwydd fod Manon ac yntau'n ddiogel ac yn iach ac ar fin cychwyn pennod newydd gyffrous. Wyddom ni ddim beth sydd o'i flaen, mwy nag y gwyddom yfory unrhyw un ohonom, ond gwyddom i sicrwydd fod cartref clud cyfforddus yn ei aros y munud y daw adre o'r ysbyty. Mae yna dad a mam yn aros yn eiddgar i'w fagu, y mae bwyd digonol ar ei gyfer, a phan ddaw i oed, bydd ysgol a chymdeithas i'w gynnal. O ran hynny, ni raid inni bryderu dim.

Yn hynny o beth, mae mab Manon yn eithriadol o ffodus, a ddaru mi ddim sylweddoli maint ei fraint nes y noson honno yn Eglwys Sant Hywyn nos Sul dwytha. Trefnwyr y cyngerdd oedd Oxfam a Chymorth Cristnogol er mwyn tynnu sylw at ymgyrch Jiwbili 2000 – yr ymgyrch i ddileu dyled gwledydd tlotaf y byd. Soniwyd am blant nad oedd ganddynt obaith am gael bywyd teilwng, na diwrnod o addysg. Fel arfer, rydw i'n gwrando ar yr ystadegau hyn fel ffeithiau moel, ond y noson honno, yr oedd fy nai bach newydd yn mynnu dod o flaen fy llygaid. Trawodd fi'n sydyn bod y miloedd o blant hyn y soniwyd amdanynt – bob copa walltog – yn golygu cymaint i'w mamau ac i'w teulu ac ydoedd mab Manon i mi. Dechreuodd oblygiadau'r syniad hwn guro ar fy meddwl mor ddyfal ac y curai'r môr y creigiau yn Aberdaron.

Nid miloedd o blant tywyll eu croen yn y Trydydd Byd oeddynt bellach, ond plant un a oedd yn chwaer i mi. Gwingwn wrth feddwl eu bod yn rhedeg o gwmpas yn droednoeth, gwaredwn nad oedd ganddynt wely cyfforddus i gysgu'r nos, euthum i gyflwr o banig wrth sylweddoli nad oedd ganddynt ddigon i'w fwyta. Wn i ddim sawl un ohonoch welodd raglen Comic Relief ar effeithiau dyled y noson cynt, ond fedrwn i yn fy myw a chael gwared o'r llun a ddangoswyd. Llun plentyn bychan rhyw deirblwydd oed ydoedd, yn teimlo'n sychedig a chwpan wag yn ei law.

Gwnaeth rhywbeth gwbl naturiol, cododd a chamu'n herciog at y gasgen ddŵr. Llanwodd ei gwpan fechan a diwallu ei syched. Yna, ar draws y sgrin daeth y neges, yr oedd y dŵr a yfodd y plentyn yn cynnwys colera, typhoid a phob math o afiechydon eraill. Yr oedd y drwg wedi ei wneud ac ar draws y byd mae miloedd o blant cyffelyb yn gwenwyno eu hunain yn y modd hwn. Dylwn fod wedi diffodd y set yr eiliad honno, cyn i'r llun nesaf gael ei ddangos. Pentwr o eirch ydoedd. Dyna un peth nad oes prinder ohonynt yng ngwledydd Affrica – eirch plant. Oherwydd y ddyled ni all rhieni fforddio magu eu plant, dim ond fforddio eu claddu. Bob blwyddyn mae saith mil o blant yn marw oherwydd tlodi.

Fel rheol, mae ystadegau felly yn ein gadael yn gwbl ddiymadferth, a chawn ein sigo yn seicolegol wrth geisio dygymod â hwy. Ond y tro hwn, cawn y cyfle brau a phrin i wneud rhywbeth yn ei gylch. Cyfle i achub bywydau saith mil o blant mewn blwyddyn. Cyfle i arbed dagrau saith mil o famau. Yn y Gorllewin, rydan ni wedi llwyddo i argyhoeddi ein hunain nad ydi bywyd yn y gwledydd tlawd yn golygu cymaint. Fod mamau y Trydydd Byd mor gynefin â dolur fel nad ydyn nhw'n teimlo fel chi a fi. Fod sefyll wrth ochr bedd gynifer o weithiau rhywsut yn eich imiwneiddio rhag poen gormodol. Siŵr iawn nad ydi o ddim. Mae pob marwolaeth, pob colled, pob trasiedi fechan yn cael ei deimlo i'r byw gan bob un o'r mamau hyn, ac mae pob un yn chwaer i mi. Dim ond o sylweddoli gwirionedd hyn y daw'r ewyllys ynom i wneud rhywbeth i newid y sefyllfa.

Beth sy'n rhaid ei wneud? Taith fer iawn ydi hi. Ewch lawr i Faes Caernarfon Sadwrn nesa (Mehefin 19) a sefyll wrth Lloyd George am 11.30. Wedi gwrando ar y neges, daw cyfle am un o'r gloch i ddal dwylo y rhai agosaf atoch. O wneud hynny, byddwch yn ffurfio cadwyn enfawr o gwmpas y castell. Wrth i chi wneud hynny, cewch y cysur o wybod fod cadwynni cyffelyb yn cael ei ffurfio gan bobl o amgylch y byd. Mae'r gadwyn fwyaf yn cael ei ffurfio yn yr Almaen, yn ninas Cologne. Yno bydd yn amgylchynu cyfarfod y G8 – yr wyth gwlad gyfoethocaf yn y byd. Un penderfyniad gan y rhain, a gallent ddileu dyled y Trydydd Byd. Ganddynt hwy mae'r grym i beri mai desgiau a chadeiriau fydd seiri Affrica yn eu gwneud o hyn ymlaen, nid eirch plant.

Mor wahanol y gallai fod... Yn nhawelwch Aberdaron ar noson o haf, dyna'r weledigaeth ddaeth i mi, a meddyliais y byddwn yn ei rhannu â chi. Gymaint o chwiorydd sydd gen i. Mi garwn i i saith mil o blant bach y byd gael rhannu bendithion mab Manon.

19 Mehefin, 1999

Enfys ddi-drais sy'n lliwio barn y bobl bach

Mae 'na rywbeth diddorol iawn yn digwydd yn Mexico y dyddiau hyn. Mi ges i awgrym o hynny pan oeddwn yng Nghanolbarth America fis yn ôl, a digwyddiadau ym Mexico yn llenwi'r newyddion. A'r rheswm am hynny oedd fod y Zapatistas, y chwyldroadwyr lleol, wedi trefnu gorymdaith o Chiapas drwy 12 talaith dlotaf y wlad i brifddinas Mexico.

Llond dwrn o chwyldroadwyr gychwynnodd y daith, ond ymunodd cannoedd ar gannoedd gyda hwy ar y ffordd. Beth oedd eu nod? Dymchwel y Llywodraeth? Saethu Arlywydd y wlad? Creu Ciwba arall? Nage. Eu galwad yn syml oedd mynnu fod Cynulliad y wlad yn cefnogi'r ddeddf fyddai'n gwarchod hawliau diwylliannol y bobl gynhenid.

Wedi dod adre, cefais gyfle i ddarllen un o weithiau y Subcomandante Marcos, arweinydd y Zapatistas. Nid cyfrol drwchus o athroniaeth wleidyddol ydoedd, ond llyfr i blant *La Historia de los Colores* – 'Stori'r Lliwiau' – sy'n adrodd yr hanes sut y daeth lliwiau i'r byd, a sut y bydd amrywiaeth a byd lliwgar yn parhau er gwaethaf dynoliaeth. Mae'n gyflwyniad unigryw i'r gwleidydd anghonfensiynol hwn. Bu Castro, Che Guevara, Mao Tse Tung, Malcom X a rebels y Chwedegau yn arwyr i mi, ond ddarllenais i rioed lyfr i blant ganddynt. Mae Marcos yn gwbl wahanol.

Ym 1994 y cododd y Zapatistas ym Mexico. Yr oedd Marcos bryd hynny yn llawn o ddelfrydiaeth gŵr ifanc, ac wrth i'r wladwriaeth ddod ar ei warthaf, ffôdd i fynyddoedd Chiapas i annog y tlodion lleol fod angen chwyldro broletaraidd yn erbyn y cyfoethogion. Chymrodd y bobl fawr

51

o sylw ohono, ac wrth fyw yn eu plith, dysgodd Marcos wersi pwysig. Crewyd yr EZLN, Byddin Rhyddid y Zapatistiaid – ond y bobl leol oedd yn gosod yr agenda, nid Marcos. Nid Marcos sy'n bwysig fel arweinydd, ond ewyllys y bobl. I osgoi creu cwlt arweinydd, gwisgodd Marcos falaclafa, a dyna iwnifform y Zapatistas bellach. Llais y llwyth sydd yn cyfrif, nid ideoleg un gŵr. Maent wedi eu henwi ar ôl Emiliano Zapata, arwr chwyldro 1910 ym Mexico a ddaeth yn ferthyr y dosbarth gweithiol. Mewn sawl ffordd, mae'r rhain wedi troi y syniad o chwyldroadwyr ben i waered.

Un gwahaniaeth mawr rhyngddynt â *guerillas* y gorffennol yw eu bod wedi rhoi'r gorau i drais. Trais fu'n nodweddu grwpiau y Black Panther, y Sandinistiaid, yr IRA a'r Basgiaid. Cododd arweinwyr ac fe'i haberthwyd – Guevara, Sandino, Ghandi, Luther King, Bobby Sands. Ym marn Marcos, gellir defnyddio'r frwydr arfog i godi ymwybyddiaeth ymysg pobl, ond yna rhaid i'r milwyr arfog gamu o'r neilltu. 'Ni ddylid defnyddio trais i argyhoeddi pobl,' meddai Marcos. Rydw i'n eistedd i fyny, a rydw i eisiau gwybod mwy am y bobl hyn.

Cymaint o weithiau, rydym wedi gweld grwpiau yn codi sy'n argyhoeddedig mai ganddynt hwy mae'r gwirionedd. Maent yn codi mewn protest, yn lleisio eu haniddigrwydd, mae gwrthdrawiad yn digwydd, ac mae trais yn dilyn. I bobl y Chwith yn ystod yr ugeinfed ganrif, dyna'r unig risét y gwyddem amdano. Doedd yna yr un ffordd arall o newid cymdeithas. Mae'r Zapatistas yn cynnig ffordd amgen.

Un o'r pethau difyrraf am Marcos yw ei wreiddioldeb a'i synnwyr digrifwch. I ddeall hanfod ei neges, does dim rhaid i chi sefyll ar sgwâr Havana am deirawr yn talu teyrnged iddo. Diffyg strwythur sy'n nodweddu ei fudiad, does ganddo ddim amynedd gyda hierarchiaeth, a dydi o ddim yn hawlio monopoli ar y gwir. Mae gwyleidd-dra o'r fath yn dra anghyffredin. Yn aml, mae'n rhoi ei neges ar ffurf chwedlau a cherddi. Mae'n ysgrifennu llythyrau maith i fardd yn Uruguay am ystyr distawrwydd, mae'n darllen Lewis Carroll, Shakespeare a Borges. Mae'n feistr ar y we. Mae 'nghalon yn cynhesu ato, mae'n apelio ataf.

Yn ei farn ef, does dim awr ragdybiedig ar gyfer 'Y Chwyldro'. Gall ddigwydd unrhyw adeg, unrhyw le 'pan fo gŵr neu wraig yn diosg y dillad y mae cyfaddawd wedi ei nyddu iddynt, a'r llwydni a'i gorchuddiodd gan siniciaeth'. Rydan ni'n ôl i thema'r lliwiau.

Diawledigrwydd ar ei ran yw anfon telegram yn datgan: 'Mae'r llwyd yn ceisio ein trechu. Stop. Yn eisiau ar frys – Enfys'. Pan mae'n bygwth ymosodiad o'r awyr ar ddinas Mexico, mae cannoedd o awyrennau papur yn disgyn o'r awyr.

Pwy ydyw Marcos? Ŵyr neb. Does dim enw iawn iddo, dim cefndir. Dywed (gyda gwên) ei fod yn briod, ac mewn cariad dwfn, â *La Mar*, y môr, a gwnewch be fynnoch o hyn. Byddai'n dda gan arweinwyr y gorllewin ei ddiystyru, ei gategoreiddio fel rhyw Ddewi Pws a gadael iddo, ond nid yw mor rhwydd â hynny. Yn ystod y saith mlynedd dwytha, mae'r Zapatistas wedi cynyddu mewn poblogrwydd. Wedi gwrthryfel 1994, cynhaliwyd eu Cyngres Genedlaethol ym mherfedd y jyngl – daeth chwe mil o bobl ynghyd. Pan gawsant gyfarfod i bobl tu allan i Mexico ym 1996, teithiodd 3,000 o bobl o wahanol wledydd i Chiapas. Ar y rhyngrwyd, mae 45,000 o safleoedd y we yn trafod materion yn ymwneud â'r Zapatistas mewn 26 o wledydd. Mae negeseuon gan Marcos yn cael eu cyfieithu i 14 iaith. Gall rhywbeth fel hyn fod yn fygythiad.

Gwelsom effaith y meddylfryd Zapatistaidd yn Seattle ym 1999. Mae'r wleidyddiaeth newydd hon yn apelio at bobl ifanc. Unwaith yr ydych yn rhoi arfau o'r neilltu ac yn wynebu pwerau'r byd mewn dull di-drais, ni ŵyr yr awdurdodau sut i ddelio â chi. Chwyldro dyddiol, chwyldro parhaol yw'r syniad yn awr. Lle bynnag mae'r bach yn cael eu herio gan y mawr, fe geir potensial i drawsnewid pethau. Dim ots os ydych chi'n ffermwr tlawd yn Chiapas, yn fyfyriwr yn yr Unol Daleithiau, yn eistedd ar goeden i atal ffordd, neu'n codi llais yn erbyn mewnfudwyr yn Llŷn – yr un yw'r frwydyr. Nid ymgasglu yn fyddin gref i wrthdaro mewn trais yw'r bwriad, nid ceisio meddu grym. Yr hyn sydd angen ei wneud dros y byd yw sefydlu mwy o fannau hunan-gynhaliol lle gall cyfiawnder a rhyddid oroesi.

Nid breuddwyd mo hyn bellach. Crewyd y genedl wladwriaeth gyda chyfalafiaeth mewn golwg, am mai gwledydd o'r fath oedd y patrwm gorau ar gyfer ehangu. Eu swyddogaeth oedd gweinyddu yr economi. Bellach, mae'r gwledydd hyn yn rhwystr i gyfalafiaeth. Gyda globaleiddio ac economi byd-eang, torri lawr ar ffiniau gwledydd sydd raid er mwyn i Lew Elw gael rhwydd hynt i dramwyo'r byd. Ni fedr gwledydd bellach frwydro yn erbyn cyfalafiaeth remp fel hyn, mae'r Llew yn rhy bwerus. Ond mi fedr cymunedau bach wneud eu rhan. Yn ein cylchoedd bychan, dim ond i ni wneud digon o sŵn aiff y Llew i dramwyo i rywle arall. Pan fo'r byd yn agored iddo, dydio ddim yn mynd i wastraffu gormod o amser yn ymladd un cymuned fechan yn Nanhoron, Yr Epynt neu Chiapas. Fe aiff yn ei flaen. A'r ddelfryd yw fod y cymunedau bychan hyn i gyd yn cydio wrth ei gilydd. Mae ganddynt sawl achos, ond un gelyn.

Dwi'n meddwl y clywn ni gryn dipyn mwy am y Zapatistas.

21 Ebrill, 2001

Rali heddwch i lorio'r Hawks

Bu'r gwersyll ar Gae Heddwch y Fali yn brofiad a hanner. Wydden ni ddim beth i'w ddisgwyl yn iawn. Wedi'r cwbl, ddim yn aml yr ydych chi'n gosod pabell ar ochr yr A55 ac yn gwahodd y byd a'r betws i ymuno gyda chi. O raid felly, roedd y gwesteion yn rhai amrywiol ac annisgwyl.

Pan gyrhaeddais yno fore Sadwrn, roedd cryn dipyn o bebyll wedi eu codi, a phobl o gyrion Llundain, Manceinion a Chaergrawnt wedi teithio atom. Daeth mwy i'r rali yn y pnawn a chawsom oll ein cyffwrdd i'r byw gan eiriau syml Estevao Cabral, y myfyriwr o Ddwyrain Timor.

Yn ei Saesneg clogyrnaidd, soniodd am yr erlid sydd wedi bod ar ei bobl, ac fel y collodd aelodau o'i deulu. 'Os gwelwch chi ffotograff o ddynion yn dal pen wedi ei dorri, pen fy nghefnder i ydyw. Fe'i dienyddiwyd.'

Roedd wedi clywed sôn am Gymru ac yn ymwybodol fod gennym ninnau frwydr dros gadw iaith a diwylliant. Teimlo'n annifyr oeddwn i mai ei gyflwyniad cyntaf i dir Cymru oedd rali tu allan i wersyll RAF y Fali. Siaradodd Delyth Tomos yn rymus a chafwyd ychydig eiriau gan Maureen Talfree. Ei brawd hi oedd un o'r pedwar gohebydd laddwyd yn Timor ym 1975. Newydd dderbyn llythyr oedd hi – y llythyr olaf i'w brawd ysgrifennu ati, ddiwrnod cyn ei ladd. Ynddo, roedd yn dweud ei fod yn amau fod pethau am fod yn ddrwg rhwng Dwyrain Timor ac Indonesia. Do, fe gymrodd hi ugain mlynedd i'r rhybudd hwnnw gyrraedd pen ei daith.

Rhyw ddiniweidrwydd oedd yn nodweddu Maureen Talfree yr adeg honno. Dim ond wedi i'w brawd gael ei ladd y dechreuodd hi gymryd diddordeb mewn materion gwleidyddol – yr un diniweidrwydd sy'n perthyn i ni i gyd. Tydyn ni ddim eisiau gwybod beth sy'n digwydd mewn llefydd fel RAF y Fali mewn gwirionedd. Ar ddiwedd y rali, galwyd arnom i orwedd ar y llawr a ffug-farw am funud. Doeddwn i erioed wedi cymryd rhan mewn ymarferiad fel hwn, ond bu'n hynod effeithiol. O weld cyrff rhai o'n cydnabod ar lawr, cawsom gip am ychydig eiliadau ar beth yw ystyr cyflafan. Y gwahaniaeth yng Nghymru oedd fod pawb yn gallu codi ar ôl munud a llongyfarch ein gilydd ar rali effeithiol. Fedrwch chi ddim gwneud hynny yn Nwyrain Timor.

Dros y penwythnos fe ddaeth tri chant o bobl i ymweld â'r gwersyll. Daeth beirdd a chantorion, gweinidogion a lleygwyr, ffrindiau a chydnabod i ddysgu a sgwrsio. Bu'n agoriad llygad i'r rhai o Loegr ddysgu fod ymgyrchoedd wedi bod yng Nghymru a bod traddodiad hir o frwydr ddi-drais. Erbyn dydd Sul, roedd y tywydd yn ddiflas iawn, y glaw yn diferu'n ddi-baid a phawb eisiau ei throi am adref. Ond erbyn y nos, roedd Dafydd Iwan wedi dod draw, a band Geraint Løvgreen, ac roedd hynny'n fodd o godi calon.

Mewn gwersyll o'r fath, rydych yn cael cyfle i ddianc o ddwndwr y byd a chanolbwyntio ar rai cwestiynau tra sylfaenol. Ar raddfa fwy, dyna wnaeth y merched ar Gomin Greenham. Wrth i'r awyrennau Hawk hedfan uwch ein pennau, roeddech yn holi o ddifrif sut y gallai swyddogion yr RAF a'r Llywodraeth gyfiawnhau y fath ymarferion.

Ar fore Llun, cawsom brofiad o hynny. Gan mai tair blynedd i'r dyddiad hwnnw, Mehefin 17, yr arwyddodd Prydain ac Indonesia y cytundeb am ragor o awyrennau Hawk, aethom draw i wersyll yr RAF a chyflwyno llythyr.

Yng ngwres yr haul, roedd rhesiad o ddwsin o Hawks yn sgleinio ac yn edrych yn smart.

Mewn cymhariaeth, bychan iawn a blêr oedd y dwsin o brotestwyr, yn wragedd a phlant gan mwyaf yn dod at y glwyd. *'GATE!'* gwaeddodd un o'r milwyr, ac mewn dim roedd hi'n banics llwyr. Rhuthrodd y milwyr at y giat gan weiddi arnom i stopio, a gyrrodd car heddlu at y fynedfa. Dim ond dwy ohonom lwyddodd i fynd drwy'r glwyd.

Dyma egluro mai mater bach o gyflwyno llythyr ydoedd, ac fe dawelodd pethau. Ond wrth edrych ar wynebau cynhyrfus y llanciau deunaw oed, roeddynt yn amlwg yn ystyried eu hunain yn dipyn o fois.

Swyddog dipyn yn hŷn gawsom ni i ymresymu ag o. Person a hyfforddwyd i siarad â'r cyhoedd. Gwadu'n bendant wnaeth o fod unrhyw un o Indonesia wedi dod yn agos at y Fali. Roedd o'n Gristion gloyw, a fydde'n gas ganddo fo feddwl fod unrhyw un yn dioddef o ganlyniad i'w gwaith nhw.

Dyma gyfeirio at y rhesiad o awyrennau Hawk a gofyn beth oedden nhw'n da.

'Mae rheina yno i amddiffyn eich democratiaeth chi,' medda fo'n dalog.

Dyma ni'n tynnu ei sylw eu bod nhw'n gallu lladd nifer helaeth o bobl hefyd.

'You must realise that there are some very evil people in the world,' oedd ei ateb.

Yn hollol. Dyna oedd holl ddiben y gwersyll.

Rhowch chi y *'very evil people'* rheini mewn awyren Hawk, ac mae'r canlyniadau'n erchyll.

22 Mehefin, 1996

Eglwys lle dysgir sut i ladd

Ro'n i'n gwybod y byddai dringo mastiau yn dod yn ddefnyddiol rhywbryd. Wn i ddim faint o les wnaeth o i sicrhau Sianel Gymraeg, ond mi ddysgodd fi i beidio ag ofni uchder. Ac roedd o'n ymarfer da i gyhyrau fy mreichiau i ddringo ysgolion. Jest nad oeddwn i erioed wedi dringo i ben eglwys o'r blaen.

Dydd Mercher dwytha oedd hi, ac roedd Cymdeithas y Cymod wedi penderfynu cynnal eu protest flynyddol yn Epynt. Yn ystod y rhyfel dwytha, cymerwyd 40,000 o aceri ffermio a thröwyd cymdeithas gyfan o'u tai er mwyn i'r Fyddin gael gwneud Mynydd Epynt yn faes chwarae i sowldiwrs. Bob yn hyn a hyn mae'r mater yn cyrraedd y tudalennau newyddion, ond i bob pwrpas, aeth Epynt yn angof. Rhyw bererindod ddigon diniwed oedd un Cymdeithas y Cymod hefyd. Canfu rhywun ei bod yn arferiad hyd yn oed i ofyn caniatâd y Fyddin cyn mentro ar eu tir.

Wfft i'r fath weddusdra. Eleni, penderfynwyd hawlio'r tir a bod yn llawer mwy ymosodol. Cyhuddwyd y Fyddin o gabledd a rhoddwyd gwŷs iddynt yn eu gorchymyn i adael y fan. Cafodd y milwyr dipyn o syndod o weld fan las yn anwybyddu'r arwyddion 'perygl'. Pan stopiodd, agorodd cefn y fan a daeth criw o ferched a dau neu dri gweinidog wedi ymddeol allan. Codwyd arwydd y golomen, a gyda'r baneri dechreuasant orymdeithio.

Lle anial iawn yw Epynt. Ar ddiwrnod braf ar ddiwedd Mehefin, mae'r harddwch yn enbyd. Wrth i chi edrych ar draws y rhosdir, fe welwch nifer o adeiladau od yr olwg.

Dyma bentref Cilieni. Does yr un enaid yn byw yno, ac fe'i codwyd i un diben yn unig – i ddysgu lladd.

Yn y dyddiau hyn pan nad oes arian ar gyfer gwasanaethau gwirfoddol, codiad i nyrsus, cymorth i'r henoed, grantiau i'r anabl ac ati ac ati, mae'n rhyfedd meddwl fod y Trysorlys wedi cael gafael ar saith miliwn o bunnau i godi'r pentref ffug hwn chwe mlynedd yn ôl.

Ddechrau'r Nawdegau, pan oedd Dwyrain Ewrop yn dal yn 'fygythiad', codwyd y pentref hwn i filwyr gael dysgu saethu.

Mae'r bensaerniaeth yn od o debyg i bentrefi yr hen Iwgoslafia. Mae yna strydoedd cul a strydoedd eang, tai mawr a bach, ac yn y canol mae eglwys. Tu ôl i'r eglwys mae mynwent efo cerrig beddau. Does dim enwau arnynt, dydyn nhw'n cofio neb, ond falle y dont yn handi pan fo milwyr yn chwilio am le cyfleus i saethu.

Jest i roi blas tramor go iawn i'r lle mae enwau'r strydoedd hyn yn uniaith Gymraeg.

Cerddodd y dorf fechan o ddwsin o brotestwyr o flaen criw y wasg, at yr eglwys a dechrau dringo ysgol y ddihangfa dân. Ymhlith y merched yr oedd dau weinidog, un bregethwraig leyg ac un darpar weinidog. Os mai merched radical fel hyn yw dyfodol ein heglwysi, dydi pethau ddim mor dywyll arnom. Ymhlith y dynion yr oedd cewri fel y Parch. Islwyn Lake a'r Parch. Stanley John. Nid y math o 'brotestwyr' oedd y Major wedi disgwyl dod wyneb yn wyneb â hwy. Eglurwyd yn boleit iddo fod adeiladu *control room* ar ffurf eglwys yn gabledd o'r mwyaf. Unig ymateb y Major oedd ffonio Caerdydd i gael heddlu y Weinyddiaeth Amddiffyn i ddod i'w helpu.

Cyn bo hir, roeddem wyneb yn wyneb â hwy.

Fe'n cyhuddwyd o beri difrod troseddol i'r cerrig beddi am inni roi arwydd y groes arnynt.

Doedden nhw ddim yn hoffi'r syniad o gwbl eu bod yn cael eu cyhuddo o gabledd. Diawch, wydden ni ddim – ar diroedd ymarfer Epynt yr enillwyd Rhyfel y Falklands! Trafodwyd yr eironi fod 'Cilieni Village' wedi ei godi ar ffurf pentref yn Nwyrain Ewrop, ac nad oedd gennym bellach achos i fynd i ryfela yn eu herbyn. Eu hateb hwy oedd na fyddai yna byth brinder o elynion, ac roedd wastad angen milwyr i amddiffyn – 'rhag ofn'.

Ddaru nhw mo'n arestio. Wedi ein llusgo allan o'r eglwys, rhoddwyd llonydd i ni. Byddai dod ag achos llys yn ein herbyn wedi codi trafferthion. Beth fyddai'r cyhuddiad yn ein herbyn? Oedden nhw eisiau rhoi cyhoeddusrwydd i Bentref Cilieni? Oedden nhw eisiau'r embaras o gyfaddef – er eu holl ddiogelwch – nad oedden nhw'n gallu rhwystro dwsin o brotestwyr ar eu tir, heb sôn am neb arall? Na, gwell oedd gadael y cyfan i farw'n dawel.

Tan 1942 yr oedd yna gapel go iawn ar Fynydd Epynt. Roedd Capel y Babell yn hen achos ac yn gwasanaethu cymuned Epynt. Roedd yna feddau go iawn yn coffâu trigolion oedd wedi byw ar Epynt ers cenedlaethau. Cafodd y capel hwnnw ei ddymchwel a gwastatwyd y cerrig beddau. Diau bod y Fyddin hyd yn oed wedi sylweddoli y byddai troi Capel y Babell yn darged ffug yn ddi-chwaeth.

O ganlyniad, codwyd capel ffug, sydd i lawer ohonom yr un mor ddi-chwaeth. Mi wn beth fyddai ateb Crist i'r fath adeilad. Ei ddymchwel yn llwyr, garreg wrth garreg.

6 Gorffennaf, 1996

Melys gof am y deng miliwn

Roedd yna ddeng miliwn ohonynt, a 40,000 o rheiny'n Gymry. Doedd o 'mhell o fod yn unigryw. Ond mae o'n arbennig i ni, icon o filwyr y cyfnod. Nid mai fel milwr y byddaf yn meddwl amdano.

Mae'r gofeb yn Nhrawsfynydd yn dynodi bugail, dyn y tir, bardd. Llanc gafodd anlwc ydoedd – petai wedi ei eni genhedlaeth ynghynt, byddai ei rawd wedi bod yn gwbl wahanol. Ond ym 1916 pasiwyd Deddf Gorfodaeth Filwrol, a gorfi i E H Evans adael Yr Ysgwrn a mynd fel rhan o gatrawd y Ffiwsilwyr Cymreig, i ymladd yng Ngwlad Belg.

Mae stori Hedd Wyn wedi bod yn gyfarwydd i mi ers yn blentyn, gymaint felly mai fel cymeriad mewn stori y meddyliwn amdano. Ond y llynedd, euthum i ymweld â ffermdy Yr Ysgwrn, ac efallai mai dyna pryd y daeth Ellis Evans yn gymeriad go iawn i mi.

Ers hynny, mae yna awydd wedi bod ynof i ymweld â'i fedd. Pam? Mae'n anodd dweud. Fel teyrnged, o bosib. Oherwydd cywreinrwydd... ond yn bennaf oll, i beri i mi sylweddoli mor real fu profiad y Rhyfel Mawr i genhedlaeth fy nhaid a fy nain.

Bu brawd fy nhaid yn ymladd yn ffosydd Ffrainc, ond llwyddodd i oroesi. Collodd brawd fy nain ei fywyd ond ym Mhalestina y'i claddwyd ef. Felly, yn niffyg unrhyw fedd teuluol i ymweld ag o, yr oedd bedd y bardd o Drawsfynydd yn ddigon o achos i wneud y bererindod.

Gwelais luniau beddau'r Rhyfel Mawr sawl tro, ond yr oedd gen i fy narlun fy hun o fedd Hedd Wyn. Os oedd y gofeb yn Nhrawsfynydd yn un fawr, byddai'r un yn Fflandrys gymaint mwy. Fe'i dychmygais wedi ei cherfio mewn marmor du, a cherfluniau milwr ac angylion arni. Byddai'r holl hanes trist hwnnw wedi ei gofnodi ar y garreg, a byddai arwyddion yn dynodi'r man claddu. Efallai na fyddai ciw maith o bobl yn sefyll o'i blaen, ond fe ddeuent yn rheolaidd o Gymru a thu hwnt, gan i'r ffilm *Hedd Wyn* gyrraedd cyn belled â 'Merica. O amgylch y gofeb, byddai peth wmbreth o flodau. Dyna sut ddarlun oedd gennyf yn fy nychymyg. Megis plentyn, yr oedd maint y gofeb i fod i ddynodi statws yr arwr.

Y dyddiau hyn, daethom i arfer efo cael popeth ar blât. Mae pob man o bwys wedi ei droi yn atynfa dwristaidd. Ble bynnag yr awn, beth bynnag y cyrchwn, mae yna daflenni lliwgar i'n tywys yno. Does yna unman yn ddiarffordd bellach. Wedi cyrraedd, mae yna amgueddfa, cyfryngau aml-weledol, siopau swfeniyrs, cyfle i gael paned, toiledau. Mae lle i blant chwarae, lluniau i gofio a fideos symudol, a does dim prinder pobl i'ch tywys o gwmpas. *Package deal* yw'r cyfan. Nid dyma'r gwir am Ypres, neu Ieper.

Mae'n wir fod amgueddfa yn y dref, ond dyna'r cwbl. Mae'r bobl eisiau egluro beth ddigwyddodd i'w tref hwy. Dinistrwyd Ieper yn llwyr – pob modfedd ohoni, yn cynnwys Neuadd y Dref a ddyddiai'n ôl i'r Canol Oesoedd.

Chwalwyd y gadeirlan. Fyddech chi ddim yn ymwybodol o hynny heddiw – ail-adeiladwyd y cyfan, yn union fel ag yr oedd. Cyflawnwyd y gwaith erbyn diwedd y Tridegau, ac ni chafodd ei tharo gan yr Ail Ryfel Byd. Tro dinasoedd eraill ydoedd bryd hynny.

Doedd dim bysiau yn rhedeg y diwrnod y cyrhaeddom, y cyntaf o Dachwedd, a doedd dim trafnidiaeth gyhoeddus at y mynwentydd. Pa fynwent oedd y cwestiwn cyntaf – mae dros gant a hanner ohonynt yn y dref fechan hon. Yn ffodus, gwyddwn mai Mynwent Artillery Woods yr oeddwn eisiau, a dyma gael tacsi i fynd yno. Cefais wybod gan y gyrrwr tacsi fod 80 o bobl y dref yn cael eu cyflogi i ofalu am y mynwentydd.

Dim ond rhyw fil a hanner o feddau sydd ym mynwent Artillery Woods. Wrth y giat, mae llyfryn gyda enw pawb, a gallwch ganfod unrhyw fedd o fewn munudau.

Darllenais ei enw – a chanfod y bedd. Dyna pryd y diflannodd unrhyw syniad rhamantaidd. Carreg wen blaen fel pob un arall ydoedd, ac arni'r geiriau – *61117 Private E H Evans, Royal Welch Fusiliers, 31 July, 1917, Age 30*. Dyna'r cyfan. Yr oedd rhywun wedi gadael cennin pedr wrth y bedd a chroes a phabi. Tu ôl i'r rhain roedd y geiriau, 'Y Prifardd Hedd Wyn'. A dyna'r cwbl. Dyna pryd y sylweddolais faint yr alanastr. Yr oedd Hedd Wyn yn union fel y gweddill o'r 40,000 o Gymry a fu farw. Doedden nhw ddim amgenach na rhif.

Ond o leiaf mae ganddo garreg fedd ac enw arni. O amgylch bedd y Prifardd yr oedd bedd ar ôl bedd gyda'r un geiriau – *A Soldier of the Great War, Welsh Guards, Known Unto God,* – a dyna'r cyfan. Dim enw, dim dyddiad, dim oed. Ond yr oeddent wedi eu claddu ger Pilkem Ridge a gellid dyfalu fod llawer ohonynt wedi cael eu lladd ar y dydd olaf tywyll hwnnw o Orffennaf, 1917.

Yna, sylweddolais mai dim ond meirw Ieper oedd wedi eu claddu yn y can mynwent yma, anffodusion Passchendaele. Petawn yn teithio i'r de, i Ffrainc, byddwn yn dod ar draws mynwentydd lladdedigion y Somme, lle lladdwyd 19,000 o filwyr Prydain mewn un diwrnod, y cyntaf o Orffennaf 1916.

Wedi dod o'r fynwent, dychwelais i Ieper i weld Giat Menin. Mur anferth ydi hwn a godwyd i gofnodi enwau'r milwyr o Brydain a'r Gymanwlad gollodd eu bywydau fel y gweddill, ond ni ddaethpwyd o hyd i'w cyrff – hanner can mil ohonynt.

Yr hyn a ddaw a fo adref yw'r cyfenwau Cymraeg – y

Jones, Parry, Roberts a'r Williams, y rhai na chawsant fedd hyd yn oed. Mae'r geiriad yn dweud y cwbl. Mae'r gofeb er cof am *'those to whom the fortune of war denied the known and honoured burial given to their comrades in death'*. Mae hynna'n ffordd o egluro'r lladdfa, ond mae'n well gen i eiriau Siegfried Sassoon a ddywedodd am y gofeb:

Well might the Dead who struggled in slime
Rise and deride this sepulchre of crime.

Ydi, mae hynny'n nes ati.

Heb fod ymhell o fedd Hedd Wyn, gwelais fedd Cymro arall, a laddwyd yr un dyddiad â'r Prifardd. Yr oedd carreg fechan siâp calon wrth y bedd plaen. Y cyfan arni oedd, *Melys Gof Amdano ym Mhen-rhiw, Llanllwni*. Rhyw fodd, mi ddaru'r ychydig eiriau hynny fynegi mwy o drallod y Rhyfel na dim arall y diwrnod hwnnw.

'Melys Gof Amdano' – dyna fydd ar feddwl sawl teulu ar Sul y Cofio unwaith eto eleni. A'r un fydd y galar a'r ymdeimlad o golled – ym Mhen-rhiw, Llanllwni, yn Yr Ysgwrn, Trawsfynydd, ac ar yr holl aelwydydd eraill drwy'r byd – y deng miliwn ohonynt.

11 Tachwedd, 2000

Mae'n bryd bod yn llawer mwy ymosodol yn ein heddychiaeth

Y diwrnod o'r blaen daeth tri milwr at y drws. Ddaru nhw
ddim codi ofn arna i. Ddaru nhw ddim malu'r drws ffrynt,
ddaru nhw ddim fy mygwth â dryll, a ddaru nhw mo
'nhreisio. A bod yn onest efo chi, roedden nhw'n llai na mi, a
doedd yr un ohonynt yn hŷn na thair ar ddeg oed.

Dod o amgylch ddaru nhw i gasglu arian drwy werthu
pabi. Gwrthodais yn gwrtais ac egluro nad oeddwn i'n
dymuno cyfrannu i goffrau'r Fyddin, a phabi gwyn oeddwn
i'n ei wisgo beth bynnag. Ar fore Sul y Cofio, roedden nhw'n
ôl ar garreg fy nrws, pabi gwyn yn eu llaw, a'r bocs arian.
Heb esgus y tro hwn, cymerais y pabi a rhoi cyfraniad yn y
bocs. Mi feddyliais roi truth iddyn nhw am ddrygioni'r
Fyddin a'r egwyddor o ladd, ond ddaru mi ddim. Roedd
rhywbeth yn eu wynebau bochgoch a'u hosgo diniwed
barodd i mi deimlo mai gwastraffu 'ngeiriau fyddwn i. O'u
cymharu â rhamant delwedd y Fyddin, pa obaith oedd gan
eiriau rhyw ddynas fel fi? Fe'u gwyliais yn cerdded i fyny'r
lôn, yn cerdded yn dalog ac yn sobor o falch o'r iwnifform.
Dyna oedden nhw – tri *action man* bach wedi cael job o
waith i'w wneud.

Ymhen pedair neu bum mlynedd, mi fydd pethau'n
wahanol. Mi fydd eu lleisiau wedi torri, bydd y bochau yn
welwach, a bydd y diniweidrwydd wedi mynd. Wn i ddim ar
ddrysau pwy y byddan nhw'n curo. Dwi'n gobeithio nad
rhythu i lygad dynes ym Melffast fyddan nhw, yn dal dryll yn
wyneb gwraig o Groatia, yn treisio merch ym mha bynnag
wlad fydd Prydain yn ymyrryd ynddi yn y flwyddyn 2000. Mae

o'n ddarlun rhy hyll i mi feddwl yn hir amdano.

Mae'r unfed dydd ar ddeg o Dachwedd yn ennyn teimladau cymysg ynom i gyd. Dydd y Cofio ydi o i fod, a phrin fod teulu yn unrhyw fan na fedr enwi aelod o'r tylwyth a gollwyd naill ai yn y Rhyfel Mawr neu'r Ail Ryfel Byd, sawl un wedi colli llawer mwy nag un. Cofio Yncyl Wili fydd ein teulu ni, brawd Nain – William Williams o Fethesda, laddwyd yn dair ar hugain oed yn y Rhyfel Byd Cyntaf. Llun yn unig sydd yna i gofio – o lanc smart yn ei iwnifform, nad oedd erioed wedi gadael Dyffryn Ogwen cyn iddo gael ei recriwtio i'r Fyddin. Wrth feddwl am wynebau fel hyn, mae pob colled yn golled bersonol, a byddai anwybyddu Sul y Cofio yn bradychu'r cof am yr anwyliaid hyn.

Taswn i wedi dechrau dadlau gyda'r tri cadet, mae'n siŵr y byddwn i wedi cael atebion parod – ac haeddiannol, megis pwy sy'n gwarchod fy rhyddid i, ac i bwy ddylwn i ddiolch nad ydym yn byw dan drefn Ffasgaidd. Fyddai gen i ddim ateb i'r haeriadau hyn, ond mi rydw i'n credu fod amgenach ffordd o fyw na bygwth drwy rym ac ofn. Mae'r rhyddid sy'n seiliedig ar y ffaith fod gan rywun fyddin gryfach a gwell arfau niwcliar na neb arall yn rhyddid rhyfedd iawn, ac yn un anodd i ymfalchïo ynddo. Tydi'r heddwch bondigrybwyll 'ma a glywn amdano yn golygu dim chwaith, pan glywn fod yna filwr o Ddyffryn Nantlle neu bentref arall yng Ngwynedd neu Gymru wedi gorfod talu amdano gyda'i fywyd.

Yr unig ateb sydd gen i i'r rhain sy'n recriwtio i'r Fyddin ydi fod yna 'amgenach ffordd'. Ond tydi hynny ddim am argyhoeddi neb nes y byddwn ni'n llawer mwy ymosodol yn ein heddychiaeth. Tase 'na gystadleuaeth rhwng brwdfrydedd y Fyddin a brwdfrydedd heddychwyr ynglŷn â denu pobl i'w rhengoedd, does gen i ddim amheuaeth pwy fyddai'n ennill. Dyna pam yr oeddwn i'n croesawu galwad Cymdeithas y Cymod yr wythnos hon ar i ysgolion feddwl ddwywaith cyn gwadd y Fyddin i'w dosbarthiadau. Mae 'na rywbeth od mewn cymdeithas sy'n brysur yn meddwl am ddulliau i wneud ein hysgolion yn saffach, ac eto'n croesawu'r Fyddin Brydeinig gyda breichiau agored. Mae yna baradocs dychrynllyd yn y syniad.

Dros y misoedd diwethaf, mae hysbysebion y Fyddin wedi dod yn fwy a mwy dengar, ar S4C cawn hysbysebion am wŷr ifanc yn gorfod gwneud penderfyniadau mawr a'r gwahoddiad – 'Become a Welsh soldier'. Troi bechgyn cyffredin yn arwyr – dyna ydi'r twyll. Gresyn na fydden ni'n clywed yn amlach leisiau'r bechgyn hynny a glwyfwyd yn y Malvinas, ac a gafodd iawndal annigonol, a'r Welsh Soldiers fu'n ymladd yn Rhyfel y Gwlff ac sydd bellach wedi'u gwenwyno am eu hoes gyda chemegau dieithr.

Fis Tachwedd eleni, boed i'r cofio beidio canolbwyntio yn llwyr ar y gorffennol. Mae peiriant rhyfel yn dal i rygnu mlaen yn gryfach nag erioed – yn pesgi ar ein trethi, yn ffynnu ar ein diffyg gwrthwynebiad, ac yn denu ein pobl ifanc wrth y cannoedd. Pibydd Brith ydi o, yn canu alaw lesmeiriol. Gwyliwn ninnau yn ddiymadferth wrth weld ein plant mewn lifrau cadets, eu hwynebau bochgoch a'u llygaid gobeithiol yn mynnu ei ddilyn i ddifancoll.

16 Tachwedd, 1996

Ni all darlun bortreadu'r Crist byw

Dydw i erioed wedi dychmygu'r peth o'r blaen – y syniad o Iesu Grist yn rhedeg.

Mewn gwasanaeth bedydd oeddwn i y Sul dwytha, ac Ifan Hefin Williams yn arwain yr addoliad. Yn ei bregeth dyma fo'n cyfeirio at yr adeg yr aeth Crist i bregethu i Nasareth lle bu mor hy a datgan mai fo oedd y Meseia.

Roedd ymateb y gynulleidfa yn un digon dealladwy, fe wylltion nhw'n gacwn, hel Crist allan o'r ddinas, ei erlid at glogwyn uchel a bygwth ei daflu dros y dibyn. Beth oedd ymateb Crist? 'Mynd ymaith' yw geiriau'r Beibl, a rydw i wedi dychmygu erioed fod Crist wedi codi ei ben yn dalog a cherdded oddi wrthynt yn urddasol. Ond gyda thorf mor ffyrnig, yr unig ymateb naturiol i'r Iesu, os am gadw ei fywyd, oedd rhedeg nerth ei draed. Ac roedd y syniad o Grist yn rhedeg yn un cwbl newydd i mi.

A dweud y gwir, o ddarllen yr efengylau, mae'n siŵr fod Crist wedi gorfod rhedeg cryn dipyn yn ystod ei fywyd a byw bywyd tebycach i herwr nag i ŵr urddasol. Ni sydd wedi cael ein cyflyru gan ddarluniau ers pan yn blant. Pa lun ddaw i'ch meddwl wrth i rywun ddweud 'Iesu Grist'? Ie, dyn golygus clên efo gwallt melyn hir a locsyn a'r llygaid glas deniadol. Dyn wedi ei wisgo mewn gŵn laes wen a phlant o'i amgylch. Dyna'r llun a welsom yn gyson yn yr Ysgol Sul, ar sawl poster ac ym Meibl y Plant. Mewn eglwysi drwy'r byd, mae'r icon hwn yn gwbl gyson – y ffigwr llonydd, tangnefeddus.

Ac mi wawriodd arna i yr wythnos hon pam mae Duw wedi ein rhybuddio rhag gwneud delw gerfiedig a lluniau ohono Ef ac o'i Fab. Nid yn unig mae unrhyw ddarlun neu ddelw yn anheilwng ohono, mae hefyd yn un camarweiniol. Fe'm synnwyd i pan nododd rhywun mai go brin mai un pryd golau llygatlas fyddai Crist, does dim llawer o Iddewon yn ffitio'r darlun hwnnw. Ond gan mai bod hanner-duwiol ydoedd, mae'n well gennym ni ei ddarlunio fel Ewropead golygus, ac mae'n haws gennym dderbyn y ddelwedd roddodd *Jesus of Nasareth* inni. Mae'n berffaith bosib mai rhywun bychan, digon hagr yr olwg oedd Crist. Yn bendant, doedd y math o fywyd roedd o'n ei fyw ddim yn un parchus iawn. Tase fo mor lân a diniwed â'r lluniau Ysgol Sul, ni fyddai'r Phariseaid wedi ei gasáu gymaint.

Mae'r un peth yn wir am y disgyblion – criw digon anystywallt oeddent hwy. Pa fath o ddynion gaiff eu galw yn feibion y daran? Dim ond pan feddyliwn am Grist a'i ddilynwyr yn y goleuni hwn y gallwn ddeall casineb y Sefydliad tuag atynt – roedden nhw'n her uniongyrchol i'r drefn sefydledig. Ydych chi'n cofio sut y siaradodd Crist â hwy? 'Gwae chi, ysgrifenyddion a Phariseaid, ragrithwyr… ffyliaid a deillion. O seirff, hiliogaeth gwiberod, pa fodd y gellwch ddianc rhag barn uffern?'

Mae defnyddio iaith o'r fath wrth gyfarch parchusion yn gofyn am drwbwl. Ac nid geiriau yn unig a gafwyd, ond gweithredoedd. Beth wnaeth o wrth weld y deml yn cael ei defnyddio fel marchnad? Gwenu'n glên a gofyn i'r bobl ymadael? Naddo, cerddodd i mewn, troi byrddau'r stondinau a hel y bobl allan efo chwip. Dyna oedd maint ei gynddaredd tuag atynt. Ac nes ein bod yn sylweddoli mai gŵr llawn angerdd oedd Crist, allwn ni ddim deall y Croeshoeliad.

Mae'n rhaid i chi fod yn berson go beryglus i gael y Sefydliad yn eich herlid. Fydde'r Phariseaid ddim wedi trafferthu gyda dyn bach clên oedd yn hoff o blant ac yn pregethu efengyl tangnefedd. Daeth Crist i'r byd i droi'r drefn a'i wyneb i waered, a dyna mae o'n dal i'w wneud. Un peth yn unig fedrwch chi ei wneud efo pobl mor chwyldroadol â hynny, a hynny yw eu lladd. Dyna pam y llofruddiwyd yr Iesu.

Mae 'na un llun o Grist yr ydw i yn hoff ohono, a hwnnw yw'r darlun gan Salvador Dali o Grist ar y groes wedi ei ddarlunio oddi uchod. Mae o'n llun hollol syml, a'r cwbl welwch chi ydi gwar yr Iesu wedi plygu. Ond beth mae'r llun hwnnw yn ei gyfleu? Corff marw, corff wedi ildio, corff di-rym. Dyna pam y gwrthwynebaf y traddodiad o ddarlunio y Crist marw ar y groes. Falle mai ei fwriad ydi dangos dioddefaint yr Iesu, ond tydi corff marw croeshoeliedig ddim yn symbol da i grefydd sydd yn arddel concwest dros farwolaeth.

Y Pasg hwn felly, wrth inni fyfyrio ar ddydd y Groglith, gadewch inni roi ymaith y delweddau cysurlon, camarweiniol hynny o'r Arglwydd Iesu. Gadewch inni sylweddoli person mor ddynol ydoedd tra ar y ddaear, a'r modd y bu'n byw bywyd i'r eithaf. Yn rhedeg, yn chwerthin, yn wylo, yn bwyta, yn llawenhau a thristháu. Oherwydd iddo fod yn fod dynol, roedd artaith y croeshoelio mor erchyll iddo ag y byddai i chi a fi. Chafodd o ddim gallu goruwchnaturiol i ddelio â phoen. Fe ddioddefodd i'r eithaf.

Byddai hynny ynddo'i hun yn ddigon o wyrth. Mae'r ffaith iddo atgyfodi ar y Trydydd Dydd yn gwneud y stori'n fwy anhygoel byth. Mae'r ffaith ei fod yn fyw heddiw yn anghredadwy bron. A dyna fy ngwrthwynebiad cryfaf i ddarluniau. Mae pob darlun, pob delw, yn portreadu Crist yn llonydd. Mae'n cadarnhau'r gred ei fod wedi marw. Ni all yr un darlun gyfleu fod Crist yn symud a bod o'n mewn ni heddiw.

Ar ddydd Llun y Pasg, gadewch inni roi'r ddelwedd heibio, a rhyfeddu at wyrth Crist byw, atgyfodedig.

6 Ebrill, 1996

Trais Genoa – ond rŵan mae'r frwydr yn dechrau

Eistedd ar y traeth yn Portofino oeddwn, ar y Riviera, yn mwynhau hufen iâ Eidalaidd, ac yn dotio at brydferthwch y lle.

Drannoeth y brotest yn Genoa oedd hi, ac roedd gennym ddiwrnod rhydd cyn i fws y Seren Arian gychwyn ar y daith 30 awr yn ôl adre.

Roedd yr haul yn danbaid, ac roedd hi'n dangnefeddus.

Gerllaw, roedd fan yr heddlu yn aros, ac yna daeth dau gwch mawr a'r geiriau Carabinieri arnynt. Ochneidiais – pam oedd y rhain yn mynnu tarfu arnom eto fyth? O'r cychod daeth gosgordd bwysig yr olwg, yn streips ac yn fedalau i gyd.

Hebryngwyd Jean Chrétien, Prif Weinidog Canada, i westy cyfagos, a thra roedd yn ciniawa yno, safodd y swyddogion diogelwch yn ufudd, a chadwodd y Carbinieri lygad barcud ar bawb.

Bryd hynny y sylweddolais yr eironi, a dysgais y wers. Os ydych chi'n arweinydd un o wledydd cyfoethoca'r byd, yn cynnal y drefn, ac yn gwarchod buddiannau'r cyfoethog, yna bydd yr Heddlu a'r gyfundrefn yn eich gwarchod yn ofalus iawn. Os ydych chi'n brotestiwr cyffredin, yn ochri gyda'r tlawd, a'ch bryd ar newid y byd, yna mi wnaiff yr heddlu – gyda sêl y gyfundrefn – eich saethu yn eich pen, a'ch lladd.

Dyna wers Genoa i mi. Roedd bywyd Jean Chrétien i'w warchod yn ofalus. Doedd bywyd Carlo Guiliani yn cyfrif dim.

Fore Gwener, deffrodd Carlo Giuliani, Eidalwr 23 oed, a mab i undebwr amlwg, yn teimlo'n dra chyffrous – fel y gwnes innau. Roeddem ill dau ar ein ffordd i un o brotestiadau mawr y flwyddyn, y G8 yn Genoa.

Uwch gynhadledd gwbl ddi-angen yw'r G8, mae'r penderfyniadau i gyd wedi eu gwneud o flaen llaw.

Ond ers ugain mlynedd, mae wyth gwlad gyfoethocaf y byd yn manteisio ar y cyfle i wneud sioe fawr i'r Wasg. Jamborî ydyw sy'n costio £150 miliwn.

Ym 1998 penderfynodd Jiwbili 2000 dynnu sylw at y gwarth hwn a phrotestio yn Birmingham. Daeth miloedd o bobl gyffredin ynghyd, a rhybuddio'r arweinwyr mai rheitiach peth fyddai dileu dyledion y gwledydd tlawd. Ers hynny, mae cynadleddau'r G8 wedi dod yn darged i filiynau ar draws y byd.

Daeth 200,000 o bobl gyffredin o bob cwr o'r byd i brotestio yn Genoa. Mae ton o ddicter cyfiawn wedi codi, wrth i bobl sylweddoli mor ddichwaeth yw cynadledda a chiniawa tra bod cymaint yn y byd yn llwgu. Yn Genoa, roedd 16,000 o heddlu i gadw trefn ar bethau. Caewyd y maes awyr, ac nid oedd modd i drenau gyrraedd Genoa. Yr oedd Berlusconi, arlywydd asgell dde yr Eidal, am gadw trefn.

Malwyd Genoa yn racs. Torrwyd ffenestri siopau, rhoddwyd ceir ar dân, achoswyd anrhefn ac anafwyd cannoedd.

Mae yna gwestiynau mawr yn codi.

Collodd un protestiwr ei fywyd, ac er fod yna gydymdeimlad â'r llanc ifanc, y farn gyffredinol yw mai dyna dynged protestwyr peryglus sy'n mynnu ymosod ar yr heddlu.

Ar deledu yr Eidal, cawsom ddarlun go wahanol. Dangoswyd nifer o lanciau yn ymosod ar gerbyd y Carbinieri, a thaflodd yr heddlu ganister drwy ffenest ôl y fan. Mae'n amlwg eu bod wedi dychryn, a'u bod am heglu oddi yno. Gafaelodd Carlo Guiliani yn y canister a'i ddal. Saethwyd ef gan yr heddlu yn ei ben. Bu farw yn syth. Yna, gyrrodd fan yr heddlu dros ei gorff. Os am ei anafu, pam na fyddai'r heddlu wedi ei saethu yn ei goesau? Mae angen dilyn y mater hwn, a dod â'r heddwas i gyfraith. Conscript ugain oed oedd yr heddwas a saethodd.

Mae'r rhai sydd yn malu yn anghyfrifol, heb darged, heb reswm, yn broblem yn y protestiadau hyn, ond cnewyllyn bach ydynt. Ychydig gannoedd oeddent y gellid eu disgyblu yn hawdd os oes gennych 16,000 o heddlu.

Ond doedd gan yr heddlu ddim diddordeb yn erlyn y rabsgaliwns hyn. Yn wir, mae tystiolaeth fod y rhai oedd yn codi twrw yn cael eu *hannog* gan yr heddlu. Y Bloc Du yw enw'r grŵp, anarchwyr caled neo-Ffasgaidd o'r Almaen, Ffrainc a'r Eidal yn bennaf. Gwelwyd rhai o'r rhain yn dod allan o faniau heddlu yn Genoa. Mae tystiolaeth eu bod yn cyd-weithio â'r heddlu i bardduo protestiadau mawr yn erbyn cyfalafiaeth.

Hanner nos, nos Sadwrn, digwyddodd rhywbeth mwy pryderus fyth. Mewn ysgol leol yn Genoa, yr oedd pencadlys Fforwm Gymdeithasol Genoa. Dyma'r glymblaid sydd wedi bod ers misoedd yn trefnu y brotest yn erbyn y G8. Pobl heddychlon, wleidyddol, ydynt a fu'n cydweithio gyda Jiwbili 2000 yn cyd-drefnu ac yn cyd-gysylltu. Nos Sadwrn, yr oedd popeth ar ben, y mwyafrif wedi mynd adref, ond yr oedd hanner cant o bobl yn cysgu ar lawr yr ysgol y noson honno.

Yn sydyn, malwyd y drws a rhuthrodd yr heddlu i mewn. Llusgwyd pobl – yn ddynion a merched – o'u sachau cysgu, a'u curo yn ddidrugaredd. Mewn dim, yr oedd waliau a lloriau'r ysgol wedi eu gorchuddio â gwaed. Aeth 35 i'r ysbyty, nid oedd yr un heddwas ymysg y rhai a anafwyd. Mae'r digwyddiad hwn wedi fy nychryn yn fwy na dim. Mae malu pobl ddiniwed tra eu bod yn cysgu yn arwydd o ddrwg dwfn iawn mewn cymdeithas.

Mae'r frwydr yn caledu felly, ac mae yna gwestiynau mawr yn ein wynebu ni, brotestwyr.

Y cyngor i ni ddydd Sadwrn, fel cefnogwyr Jiwbili 2000, oedd inni beidio ymuno â'r orymdaith, er mwyn ein diogelwch ein hunain. Mae hynny'n achosi pryder. Pan fo aelodau heddychlon yn tynnu allan o'r orymdaith, gwneud lle i bwy ydyn ni? Oes lle bellach i brotestwyr heddychlon, nawr fod yr heddlu yn gallu cyd-weithio ag anarchwyr i dynnu sylw at drais yn lle gwir bwynt y brotest?

Oes – mae'n rhaid inni sicrhau fod ein llais yn cael ei glywed. Mae'r gyfundrefn wedi cyflenwi *agent provocateurs* ers cyn cof, a dylem allu delio â hyn. Mae'r Wasg yn dewis canolbwyntio ar gynnwrf a therfysg, yn hytrach na hanfod y ddadl – dylem allu delio â hyn hefyd.

Yr hyn y mae'n rhaid inni ganolbwyntio arno yw'r ffaith sydd heb newid – mae 19,000 o blant y Trydydd Byd yn marw yn ddyddiol oherwydd dyled. Mae'r bwlch rhwng y tlawd a'r cyfoethog yn cynyddu. Mae Banc y Byd, yr IMF a'r World Trade Organisation yn dyfalbarhau yn eu hymdrechion i sicrhau marchnad byd-eang lle na fydd dim, dim hyd yn oed llywodraethau a deddfau gwlad, yn gallu eu rhwystro.

Mae gennym ddau ddewis – derbyn hyn fel ffaith ddigyfnewid, neu ymwroli a mynnu newid y drefn. Mae'r tymheredd yn codi, ac mae'n rhaid inni yn y Gorllewin ddewis ochr.

Un darlun sy'n fy nghymell – darlun o wraig sy'n gweithio 24 awr i gynnal ei theulu mewn ffatri ddieflig yn Indonesia. 40 ceiniog a gaiff am bâr o esgidiau Nike sy'n gwerthu am £100 yn y siopau. Os nad ydi hynny'n ddigon o ysgogiad i ymgyrchu, wn i ddim beth sydd.

28 Gorffennaf, 2001

Ciwio am deirawr i brynu llyfr Gerry

Wythnos yn ôl, roedd gwaed wedi'i golli ar risiau tŷ yn Hammersmith, Llundain.

Un o aelodau yr IRA ydoedd, ac wrth ddangos llun lliw o weddillion y gyflafan, meddai un tabloid: 'Peidiwch â cholli gormod o ddagrau – ar genhadaeth i ladd ydoedd'.

Wrth glywed fod yr heddlu wedi saethu i waredu Prydain o ddarpar lofrudd, rhoddodd pawb ochenaid o ryddhad. Doedd dim rhithyn o gydymdeimlad at y Gwyddel, chawsom ni ddim hyd yn oed wybod ei enw. Dridiau yn ddiweddarach, roedd y stori wedi newid.

Doedd y Gwyddel a saethwyd ddim yn rhan o frwydr gyda gynnau. Doedd o ddim hyd yn oed yn arfog. Erbyn i mi gael copi o *An Phoblacht* ddiwedd yr wythnos, dyma gael gwybod mai Diarmuid O'Neill, 27 oed, oedd y Gwyddel a lofruddiwyd, y diweddaraf i golli ei fywyd o ganlyniad i bolisi saethu-i-ladd y Llywodraeth Brydeinig.

Ddiwedd yr wythnos, bu ffwdan dychrynllyd yn rhengoedd y Blaid Lafur am fod Jeremy Coburn a Tony Benn wedi gwahodd Gerry Adams i'r Senedd. Cymaint fu'r anghydfod nes i Gerry Adams newid ei drefniadau. Rhoddodd y Blaid Lafur ochenaid o ryddhad. Roeddynt wedi llwyddo i gadw'r blaidd o'r drws.

Yn y modd hwn y mae'r rhagfarn wrth-Wyddelig a'r hiliaeth atgas yma yn parhau. Doedd dim da yn dod o gyfeiriad Iwerddon. Yn gymysg o ofn ac atgasedd, mae pethau gymaint mwy cyfforddus os ydyn nhw'n cadw draw. Hen bobl beryg ydyn nhw, a dyna ddiwedd arni.

Yr unig fodd i wrth-weithio'r propoganda hwn ydi dal y

fferi i'r Ynys Werdd bob yn hyn a hyn a chael cyfle i asesu'r sefyllfa ein hunain. Dyna ddaru criw ohonom y penwythnos dwytha, ac roeddem wedi clywed fod Gerry Adams yn arwyddo copiau o'i hunangofiant yn siop Waterstones, Dulyn. Y bwriad oedd picio i mewn, prynu llyfr – a chael y dyn ei hun i'w arwyddo.

Wrth gerdded i lawr o Grafton Street i gyfeiriad Waterstones, roedd yn amlwg fod yna beth cynnwrf. Roedd hi'n amhosib mynd ar gyfyl drysau'r siop. Dyna lle roedden nhw'n ciwio am a welech. Nid fesul un ac un, ond wrth y cannoedd. Deirawr yn ddiweddarach, dyma ddychwelyd. Roedd y ciw wedi ymestyn. Wedi gwerthu eu stoc yn llwyr, bu raid cael rhagor ar fyrder.

Am chwech, dyma berchnogion y siop yn ymddiheuro a deud nad oedd diben aros mwy. Yn ei dull ddi-hafal ei hun, llwyddodd un Franwen Nicholas i gael i mewn i'r siop, ac wedi disgwyl dyfal, sicrhaodd gopi i mi.

Before the Dawn yw teitl y gyfrol, a dyma'r tro cyntaf i mi weld gwaith gan Gerry Adams mewn clawr caled. Mewn nodyn at eu holl ganghennau mae Smiths ym Mhrydain yn gofyn i'w rheolwyr eu ffonio os ydynt yn amheus ynglŷn â rhoi'r gyfrol ar eu silffoedd. Dwi'n amau a oes gan Waterstones yr un agwedd.

Os ydych am wybod sut mae hogyn cyffredin dosbarth gweithiol o Belfast, heb Lefel A nac addysg prifysgol yn dod yn un o ffigyrau gwleidyddol pwysicaf diwedd yr ugeinfed ganrif, mae'n werth i chi gael copi o'r llyfr. Nes i mi ei ddarllen, wyddwn i ddim am fywyd personol Llywydd Sinn Fein, wyddwn i ddim ei fod yn briod ac yn dad, wyddwn i ddim am ei gefndir.

Yr hynaf o ddeg o blant wedi eu magu mewn tlodi enbyd yn ardal Ballymurphy, roedd taid Gerry yn weithgar yn yr IRA. Saethwyd ei dad yn 16 oed gan yr RUC a threuliodd hwnnw bum mlynedd yn y carchar.

Doedd gan y Gerry ifanc ddim cymaint â hynny o ddiddordeb mewn gwleidyddiaeth nes iddo ganfod ei hun yn llanc ugain oed yng nghanol berw dychrynllyd 1969. Gweithio tu ôl i far ydoedd yn yr haf hwnnw pan ddaeth y Fyddin Brydeinig i roi trefn ar y ffraeo yn y Chwe Sir. Gorymdeithiodd ymgyrchwyr dros hawliau sifil yn heddychlon nes i'r Fyddin droi atynt a'u saethu. Llosgwyd cartrefi cannoedd o Babyddion a daeth stadau fel Ballymurphy dan warchae. Ers hynny, mae Gerry Adams wedi bod yn ymgyrchwr amser llawn.

Priododd ferch leol, cafodd ddau ddiwrnod o fis mêl cyn gorfod byw bywyd ar herw. Dyw hi ddim yn saff iddo aros yn yr un cyfeiriad am gyfnod maith. Mae'r fyddin wedi ei hela yn ddi-drugaredd. Cawn fanylion graffig o'r modd y cafodd ei arteithio dan law'r Fyddin, y cyfnod a dreuliodd fel carcharor ar long, a'r cyfnodau yn Long Kesh yng nghwmni Bobby Sands.

Yn aml, roedd ei dad, ei frawd, ei ewythr ac aelodau o'i deulu yn y carchar gydag o. Tra yng ngharchar, cai newyddion megis fod ei frawd-yng-nghyfraith wedi ei saethu'n farw. Y rhan anoddaf i'w stumogi yw'r bennod yn rhoi hanes Streic Newyn yr H-Block ym 1981.

Tan ddwy flynedd yn ôl, roedd sensoriaeth yn golygu na chaem hyd yn oed glywed llais Gerry Adams. Bellach – er gwaetha'r rhagfarn a'r camliwio, cawn glywed ei eiriau ei hun.

Yn awr, dyma gyfle i ddarllen ei hunangofiant, un sy'n llawn dioddefaint. Tydi o ddim yn llyfr i'w ddarllen yn gyfforddus. Petai'n cael ei ddarllen yn helaeth yng Ngwledydd Prydain, byddai miloedd yn cael agoriad llygad i amgylchiadau go iawn Pabyddion Belfast. Canlyniad trist sensoriaeth yw na fydd y mwyafrif eisiau gweld y llyfr, heb sôn am ei ddarllen.

5 Hydref, 1996

Un bwled fu'n gyfrifol am newid tynged yr Ynys Werdd am byth

Bob nos mae gyrrwyr tacsi Belfast yn cloi eu drysau ac yn rhoi'r bolltiau yn eu lle. Mae rhai yn fwy gofalus na'i gilydd. Mae 'na ambell un yn rhoi giat ar waelod y grisiau a bolltiau ar ystafelloedd y plant. Duw yn unig a ŵyr beth fyddai'r canlyniadau petai tân.

Ond fel y dywedodd un tad, mae'r tebygrwydd o gael tân yn y tŷ gan gwaith yn llai na'r tebygrwydd o gael Teyrngarwr gwallgof gyda gwn yn curo'r drws ac yn saethu.

Gyda 25 o Babyddion wedi'u saethu ers y Nadolig, a naw o'r rheini'n farw, fedrwch chi ddim beio'r gymuned Weriniaethol ym Melfast am gymryd mesurau eithafol i amddiffyn eu hunain.

Yn y cyfamser, mae'r trafod yn parhau – ymysg rhai fodd bynnag. Erbyn dydd Llun, roedd Gary McMichael yn arwain yr UDP allan drwy'r drws, cyn iddynt gael eu cicio drwyddo. Erbyn nos Fawrth, roedd yr Unoliaethwyr yn rhwygo'r ddogfen fframwaith o flaen y camerâu teledu.

Rydych chi'n cael yr argraff bendant ymysg rhai Unoliaethwyr y gwnân nhw unrhyw beth i rwystro'r trafodaethau hyn rhag mynd ymlaen. Eu hunig ddiben yw cadw'r *status quo*. Unig ddiben y Gweriniaethwyr yw ei newid.

Mae pob un o'r bobl hynny arwyddodd y cytundeb i rannu Iwerddon ym 1922 bellach wedi marw. Mae'r gyfrol o hanes bywyd Michael Collins yr wyf newydd orffen ei darllen wedi bod yn amserol iawn. Honiad yr awdur, James Mackay, ar ddiwedd y gyfrol yw y byddai hanes Iwerddon wedi bod yn gwbl wahanol pe na bai'r fwled honno o wn Sonny O'Neill wedi lladd Collins.

Prin y cafodd yr un fwled arall effaith mor bell-gyrhaeddol ar hanes unrhyw wlad.

Wedi marwolaeth gynnar Arthur Griffith, Michael Collins yn unig oedd yn meddu ar y ddawn ddiplomataidd, y carisma, a'r cysylltiadau gyda'r Gweriniaethwyr a Llywodraeth Prydain fel ei gilydd i ddod â hwy yn gytun. Er gwaetha'r anghytuno wedi Cytundeb 1922, gallai Michael Collins fod wedi cario cefnogaeth Iwerddon gydag o.

Roedd y parch tuag ato yn rhyfeddol. Ym 1922 credai Collins mai dros dro yn unig fyddai'r trefniant i rannu Iwerddon. Cam tuag at Weriniaeth ydoedd, ac ni chollodd ei olwg ar y weledigaeth honno. Yn hytrach na llw o ffyddlondeb i Goron Lloegr, breuddwyd Collins oedd Cynghrair o Wladwriaethau Rhydd. Sefydlwyd y Gymanwlad ym 1931, a gadawodd Iwerddon hi ym 1949, gan ddatgan ei hun yn Weriniaeth. Gwireddwyd breuddwyd Collins.

Petai o wedi byw a chael ei ffordd, byddai'r Weriniaeth honno wedi cynnwys y chwe sir yn y Gogledd.

Petai Michael Collins wedi cael ei dargedu yn fwriadol gan filwyr caled oedd yn benderfynol o gael gwared ohono, falle y byddai'r golled yn haws ei derbyn. Nid nad oedd yna brinder o bobl felly, ond giang o hogia'r IRA yn Cork oedd y rhain. Am dargedu bois mawr y Llywodraeth newydd yn Nulyn oedd yn ei lordio hi o gwmpas Cork oedden nhw. Dyna oedd prif ddiben yr *ambush,* a bu Michael Collins yn ddigon anffodus i fod ynghanol y ffradach. Trist yw darllen am yr hyn ddigwyddodd i'r giang fu'n gyfrifol am gornelu Collins.

Dyna chi Sonny O'Neill ei hun a saethodd yr union fwled. Cadwodd y gyfrinach iddo'i hun am ddeng mlynedd ar hugain cyn iddo ganfod mai misoedd yn unig oedd ganddo i fyw ym 1950. Ei fwriad oedd erfyn am faddeuant gan deulu Collins, ond ni chafodd y cyfle. Bu farw wedi iddo ddychwelyd o bererindod i Knock.

Jim Hurley oedd un arall o'r criw, oedd ond yn 19 ar y pryd. Cymododd â brawd Michael Collins, Johnny, a dod yn gyfaill da. Pan fu farw o'r cancr ym 1965, ei unig ddymuniad oedd cael ei gladdu ochr yn ochr â Johnny Collins ym mynwent Clonakilty, a dyna lle mae nhw'n gorwedd heddiw.

Roedd y criw i gyd yn bobl leol o Orllewin Cork orfodwyd i barhau eu bywydau yn y gymuned glós lle roedd teulu Michael Collins hefyd yn byw. Doedd hanesion bywydau y rhai oedd yn y cerbyd gyda Collins ar awr ei farw ddim gronyn hapusach. Buont yn byw gyda'r euogrwydd iddynt fethu achub ei fywyd. Troi at y ddiod wnaeth Emmet Dalton, a glanio yn y carchar ar gam-gyhuddiad wnaeth Jock McPeak lle bu ar streic newyn. Casglodd y Gweriniaethwyr drigain punt iddo cyn iddo adael am y carchar ac yn Lloegr y treuliodd weddill ei fywyd.

Ymhen blynyddoedd, doedd 'na run o'r hen griw yn brolio iddynt fod ymysg y rhai a lofruddiodd Michael Collins. Edifeirwch a chywilydd oedd y teimladau a oroesodd.

Edifeirwch a chywilydd ddylai nodweddu ymddygiad pob un sydd o gwmpas y bwrdd trafod y dyddiau hyn.

Yn dilyn wythnos waedlyd pan gollodd pum Pabydd eu bywydau, gadewch inni i gyd gofio enwau fel Larry Brennan, Liam Conway, Ben Hughes ac eraill. I ni, gaiff y moethusrwydd o fynd i'n gwelyau gyda'r nos heb roi cadwyn a chlo ar ddrws llofft ein plant, gadewch inni weddïo y daw rhyw dda o'r ffaith fod digon yn fodlon aros o amgylch bwrdd i siarad. Ym Melfast, mac hynny ynddo'i hun yn wyrth.

31 Ionawr, 1998

Wisgi a choleg chwyldro

Doedd 'run Iwnion Jac i'w gweld yno, na'r un faner Lloegr. Ac mewn mis welodd ddathlu Jiwbili Aur y Frenhines a halibalŵ Cwpan y Byd, roedd absenoldeb Prydeindod fel chwa o awyr iach.

Yn y Fron-goch ger y Bala yr oeddem wedi ymgynnull, rhyw 100 ohonom, i ddadorchuddio cofeb i goffháu y carcharorion rhyfel Gwyddelig a gadwyd mewn gwersyll yno wedi Chwyldro 1916. Roedd y Ddraig Goch yn cael lle anrhydeddus, a baner drilliw y Gwyddel. Ar fêl gwair y cafwyd yr areithiau, ac roedd hi'n tywallt y glaw. Falle mai dyna'r tywydd mwyaf addas, meddyliais, i geisio dychmygu'r diflastod brofodd y carcharorion. Dyma oedd y math o dywydd y bu'n rhaid iddynt oddef, dyma'r bryniau fu'n olygfa iddynt, dyma'r faner fu'n eu hysbrydoli. Yna gwawriodd arnaf na fyddai baner Iwerddon wedi bod ar gyfyl y fan, mai baner waharddedig ydoedd ym 1916. Ai dyma'r tro cyntaf iddi gael ei harddangos yn Fron-goch felly, dros bedwar ugain mlynedd yn ddiweddarach? Rhyw feddyliau felly oedd gen i wrth wrando ar y pibydd yn chwarae ei alaw ddolefus.

Ym 1916, yr oedd gan Brydain Fawr broblemau gwaeth na hunan-lywodraeth Iwerddon yn eu poeni, ac ddaru hi ddim gwastraffu amser yn ystyried beth ddylid ei wneud efo'r Gwyddelod oedd wedi cambyhafio. Ym mherfeddion Sir Feirionnydd, yr oedd hen waith wisgi wedi ei droi yn garchar i filwyr Almaenaidd. Anfonwyd yr Almaenwyr i garchardai eraill a rhoddwyd 1,863 o weriniaethwyr Gwyddelig gyda'i gilydd yn Fron-goch. Bu'n gamgymeriad difrifol ar ran y

Sais. Hyd heddiw, cyfeirir at y gwersyll fel Ollscoil na Réabhlóide – Prifysgol y Chwyldro. Yn y cytiau hyn y magwyd arweinwyr Rhyfel Cartref 1922. Gwelwyd y Sais yn ailadrodd ei gamgymeriad wrth sefydlu Long Kesh yn ddiweddarach.

Glaw Gorffennaf groesawodd yr enwocaf o'r carcharorion – neb llai na Michael Collins. Wedi gweithio yn Llundain am gyfnod, yr oedd wedi ymaelodi â Conradh na Gaelige (Cymdeithas yr Iaith Wyddelig) a'r IRB, Irish Republican Brotherhood ac yn rhan amlwg o wrthryfel 1916. Er yn gwerthfawrogi harddwch Penllyn, cafodd ei synnu a'i siomi gan safon y glanweithdra yn Fron-goch a'r amodau cyntefig. Yr oedd 30 o ddynion ym mhob cwt, a llygod mawr yn rhemp yno.

Yr oedd yn gamgymeriad rhoi cynifer o Wyddelod gyda'i gilydd, ac yr oedd yn gamgymeriad i'w carcharu yng nghanol Cymry. Mae tystiolaeth fod gan y Cymry lleol gryn dipyn o gydymdeimlad â'r Gwyddelod. Mae'r nifer o lythyrau sydd wedi goroesi o'r gwersyll ynghyd â'u cynnwys, yn dangos nad oedd y swyddogion o Gymry wedi bod yn or-frwd fel sensorwyr. Un Cymro lleol a ddaeth yn ffrindiau efo Collins oedd Robert Roberts, a weithiai yng nghegin y gwersyll. Sylwodd Collins ar y defnydd helaeth o'r Gymraeg rhwng y bobl leol a pherswadiodd Robert Roberts i smyglo geiriadur Cymraeg iddo a llyfrau gramadeg a sialc iddo gael astudio iaith ei gyd-Geltiaid. Yn wir, bu cryfder y Gymraeg yn yr ardal yn ysbrydoliaeth i sawl un o'r carcharorion i gychwyn dysgu Gwyddeleg. Ffurfiwyd cangen o'r Urdd Aeleg yno, gan fabwysiadu'r enw Craobh na Stóine Deirge sef 'Cangen y Trwyn Coch', gan mai yn Fron-goch y'u carcharwyd. Yr oedd llawer o athrawon ymysg y carcharorion.

Doedd o ddim yn wersyll caeth iawn, a byddai'r Gwyddelod yn cael eu hanfon i weithio ar ffermdai cyfagos. Byddai haelioni'r Cymry lleol yn eu bwydo yn cael ei werthfawrogi yn fawr gan mor arw oedd amodau'r gwersyll. Yr oedd y bwyd yn gwbl anfwytadwy, a'r oerni yn annioddefol. Yr oedd gorboblogi yn broblem fawr ac yr oedd sawr yr hen wisgi yn dal o gwmpas. Dioddefai sawl un, yn enwedig y rhai gyda phroblemau'r ysgyfaint a'r diciáu. Erbyn yr Hydref, yr oedd sefyllfa'r bwyd a'r amodau glanweithdra gynddrwg fel y gwrthododd Michael Collins ateb y gofrestr yn y bore. Dilynodd 200 ei esiampl. Fe'u cosbwyd, ac ymatebodd y Gwyddelod yn yr unig fodd posibl – cychwynnwyd streic newyn ar Dachwedd 2. Collodd un carcharor, Eamonn Tierney, ei bwyll, a bu dirywiad mor ddrwg ymysg pedwar arall fel eu bod yn farw o fewn blwyddyn. Nid oedd y meddygon i fod i drin y rhain, a diwedd trist fu i un o'r meddygon, Dr Peters – boddodd ei hun yn afon Tryweryn.

Cafwyd ymchwiliad i'r sefyllfa yn y gwersyll. Dywedodd y Prif Ysgrifennydd dros Iwerddon fod y perygl o gadw gwŷr na phrofwyd yn euog yn llawer hwy, yn fwy na'r perygl o'u rhyddhau. Gwagiwyd Gwersyll Fron-goch cyn diwedd 1916, a dychwelodd Michael Collins a'i gyd-garcharorion i Iwerddon i baratoi cam nesaf y frwydr dros annibyniaeth.

O ystyried pwysigrwydd hanesyddol y fan, fe fyddech yn meddwl y byddai rhywun wedi mynd ati i godi cofeb yno cyn hyn. CADW ddylai wneud, wrth gwrs; ond mae agenda wleidyddol y corff hwnnw yn bwysicach na'u parch at hanes. Piciwch i Lanystumdwy a gweld y ffwdan a wneir i farchnata Lloyd George, ac mae'r rhagfarn yn amlwg.

Rhyw dair blynedd yn ôl daeth Gwyddel alltud, Tony Birtill, o Lerpwl am sgowt i weld Fron-goch a sylwi nad oedd dim i ddangos y fan. Ysgrifennodd at Gyngor Gwynedd, ac fe'i cyfeiriwyd at Gymdeithas Cantref. Gyda help y rhain ac ambell i un arall, gwnaed iawn am y drosedd. Daeth y Cownsel Gwyddelig o Gaerdydd a'r Cownsel Gwyddelig o'r

Alban ar y dydd ynghyd â chriw bywiog o Wyddelod. Yr oedd yn ddiwrnod i'w gofio, ac aeth pawb i Blas Coch wedyn i gymdeithasu a dod i adnabod y naill a'r llall. Petai gan y Bwrdd Croeso ronyn o ddiddordeb, gellid manteisio ar y diddordeb newydd ym Michael Collins a hysbysebu y rhan hwn o Feirion fel lle penigamp i Wyddelod ddod i ymweld ag o.

Yn y cyfamser, gallwch ymfalchïo fod gennym gofeb hardd i ychwanegu un dimensiwn arall i'r gornel hynod hon. Yn yr ardal hon yr erlidwyd rhai o'r Crynwyr cynnar, gerllaw yr oedd Bob Roberts Tai'r Felin yn byw, a heb fod ymhell, mae cofeb Capel Celyn. Mae gennym dreftadaeth gyfoethog – yn enwedig mewn dioddefaint.

Llyfrau o ddiddordeb:
Fron-goch, University of Revolution, Sean O Mahony
Michael Collins, A Life, James Mackay

6 Gorffennaf, 2002

Y weithred anodd o faddau a chymodi

Faswn i byth yn gallu gwneud beth wnaeth hi, ac rydw i ymhell o fod yn siŵr allwn i wneud beth wnaeth o. Mae o'r peth anoddaf mewn bywyd – maddau.

Ro'n i'n siŵr fod llun yn rhywle, a dyma chwilota yn yr albwm… nôl yn Haf 1986, mae llun ohonof yn sefyll o flaen Central Criminal Court yr Old Bailey. Yn fy llaw mae papur newydd ac arno'r penawd – 'Life 8 Times'. Dyna'r ddedfryd a roddwyd i Patrick Magee yn yr union lys hwnnw y diwrnod cynt. Ei drosedd? Gosod y bom yn y Grand Hotel yn Brighton yn ystod Cynhadledd y Ceidwadwyr 1984. 35 oed oedd Patrick Magee yr adeg honno. Gwyddwn na chai fyth weld golau dydd eto. Oedd, roedd gen i gydymdeimlad ag o.

Gwelais Fom Brighton ar y teledu. Cofiaf lle roeddwn ar y pryd. Siom gyntaf oedd fod Margaret Thatcher wedi goroesi'r ymosodiad. Mae'r peth yn ddychryn i mi yn awr, ond dyna faint y casineb at y wraig bryd hynny. Cofiaf benderfynu ei bod yn well ei bod yn dal yn fyw. Petai wedi ei lladd, byddai yna don o gydymdeimlad â'r Ceidwadwyr, ac roedd y syniad o Thatcher fel merthyr yn rhy erchyll i'w ddychmygu. Anafwyd Norman Tebbit yn yr ymosodiad. Lladdwyd ei wraig ac un arall. Wyddwn i ddim pwy oedd o, a ddaru mi rioed feddwl amdano. Hyd y gwelwn i, roedd gan yr IRA darged cyfreithiol. Margaret Thatcher a'i chabinet oedd yn gyfrifol am farwolaeth Bobby Sands a'r naw arall. Faswn i byth yn maddau iddi.

Ar y 12fed o Hydref eleni, roeddwn mewn cyfarfod heddwch yn yr Aelwyd yng Nghaernarfon, ac yn gwrando ar

Gymry glew megis Hywel Williams, Alun Ffred a Huw Gwyn yn siarad, pan ddywedodd Cymdeithas y Cymod mai Saesnes oedd yn siarad ar eu rhan hwy. Gresynais o'r herwydd, a gwelais wraig dal gyda gwallt hir du yn dod i'r tu blaen.

Roedd ganddi stori arbennig i'w hadrodd yn ôl y sawl a'i cyflwynodd, ond gwingais wrth glywed ei Saesneg dosbarth canol. Un arall o'r mewnlifiad a ddaeth i fyw i Borthmadog, meddyliais.

Sobrais pan wrandawais ar ei stori. 'Ddwy flynedd ar bymtheg yn ôl i'r noson hon,' meddai, 'lladdwyd fy nhad. Yr oedd yn y gwesty hwnnw yn Brighton pan osododd yr IRA y bom yno.' O'r eiliad honno, roedd sylw pawb wedi ei hoelio.

Ers y 12fed o Hydref, 1984, yr oedd Jo Tuffnell wedi cychwyn ar daith i ganfod beth ysgogodd y bomiwr i weithredu yn dreisiol mewn modd a achosodd iddi golli ei thad. Enwodd y bomiwr, Patrick Magee.

Cafodd Jo fagwraeth freintiedig. Yr oedd ei thad, Syr Anthony Berry, yn Aelod Seneddol ac yn gyn-drysorydd i'r teulu brenhinol. Merch i bedwerydd barwn Fermoy oedd ei mam, a olygai fod Jo yn gyfnither i'r Dywysoges Diana. Yr oedd ei mam hi a mam Diana yn ymddiriedolwyr Stad Tremadog, fel y datgelodd Emyr Williams yn y *Daily Post*. Hi oedd yr hynaf o chwech o blant, a chafodd ei haddysg mewn ysgol fonedd. Er ei bod yr un oed â mi, teimlwn ei bod wedi dod o blaned arall. Bellach mae'n fam i dri o blant ac yn byw gyda'i gŵr ar stad tai cyngor yn Port.

Ym 1999, digwyddodd yr amhosib. Cafodd y gŵr a ddedfrydwyd i garchar am oes wyth gwaith ei ryddhau dan Gytundeb Gwener y Groglith. Digwyddodd pethau yn go sydyn wedi hynny. Cysylltodd Jo gydag o a gofyn am gyfarfod. Digwyddodd hynny, a chawsom weld y canlyniad ar raglen *Everyman* ar BBC 2 y noson o'r blaen.

Ers 1984, y mae bywyd Patrick Magee wedi newid hefyd.

Mae o bellach dros ei hanner cant, wedi ennill gradd dosbarth cyntaf ac wedi ennill doethuriaeth mewn Llenyddiaeth Wyddelig. Ydi, mae o'n dipyn o hen ben. Ond beth oedd ei deimladau ef o glywed fod merch y gŵr a laddwyd ganddo eisiau ei gyfarfod? Cyfaddefodd ei fod yn bryderus, ond roedd yn rhaid iddo fod yn ddigon dewr. Os bu'n ddigon hy i osod y bom, dylai fod yn ddigon o ddyn i wynebu'r canlyniadau.

A dyna a'm trawodd. Does yna fyth ben draw i ganlyniadau trais. Wrth osod y bom honno, y peth olaf ddychmygodd Patrick oedd y byddai merch un o'r rhai a laddwyd yn ei wynebu bron i ugain mlynedd yn ddiweddarach gyda un cwestiwn yn unig – Pam?

Yr oedd y gwahaniaeth rhwng y ddau yn amlwg. Y ferch freintiedig na chafodd ei dysgu erioed am hanes gormesu Iwerddon, a'r Gwyddel a gafodd fywyd dipyn caletach oedd wedi ei drwytho mewn athroniaeth dialedd a dulliau bomio.

Fe allai wedi bod yn gyfarfyddiad trychinebus, ond doedd o ddim. Ers y cyfarfyddiad cyntaf, maent wedi cyfarfod sawl tro, ac ar y teledu dangoswyd y ddau yn sgwrsio mewn caffi ym Metws-y-coed, a Patrick yn rhyfeddu at harddwch Cymru. Yn ystod y ddwy flynedd ddiwethaf, mae Jo yn cyfaddef iddi deithio ymhell ar y daith tuag at ddeallltwriaeth. Mae'n deall bellach pam y gweithredodd Patrick fel ag y gwnaeth, a'i dymuniad yw gweithredu'n bositif er mwyn hybu gwell deallltwriaeth rhwng carfannau.

Mae wedi bod yn brofiad dwys i Patrick, yntau. Y mae'n dal i ddweud fod cyfiawnhad dros ddefnyddio dulliau treisiol ambell waith, ond drwy gyfarfod Jo, bu raid iddo wynebu'r ffaith anodd fod yna ganlyniadau dynol i drais.

Wrth i Jo ofyn 'pam?' dywedodd Patrick yn blaen fod y Llywodraeth Brydeinig yn gyfrifol i raddau helaeth am y trais. Doedden nhw ddim yn barod i wrando, ac yr oedd bom

Brighton yn un ffordd i'r IRA gael eu clywed. Bellach mae Jo a Patrick yn rhannu llwyfannau mewn cyfarfodydd i hybu heddwch a dealltwriaeth.

Mae'n stori ryfeddol. Wrth wylio, teimlwn na allwn i fyth bythoedd wneud yr hyn a wnaeth Jo. Petai fy nhad i wedi dioddef yr un dynged, fyddwn i ddim eisiau gwybod am y bomiwr heb sôn am siarad ag o. Y cyfan fyddai ynof fyddai casineb eirias yn llosgi. Petawn i yn esgidiau Patrick, fyddwn i ddim wedi gallu gwneud yr hyn a wnaeth o chwaith. Wedi bod yng ngharchar am bymtheg mlynedd, byddwn eisiau anghofio'r cyfan ac ail-ddechrau byw. Y peth olaf fyddwn i eisiau fyddai dod wyneb yn wyneb â merch yr un a leddais.

Mae fy edmygedd ohonynt yn fawr.

Parodd y stori i mi gofio dyddiau mor enbyd oedd yr Wythdegau. Sylweddolais fod y byd yr ydym yn byw ynddo wedi Medi 11eg yn llawer mwy enbyd.

Wrth inni grybwyll 'heddwch' a 'maddeuant' a 'chariad' y Nadolig hwn, boed inni sylweddoli pethau mor ddychrynllyd o anodd ydyn nhw i'w gwireddu mewn gwirionedd.

Nadolig Llawen i chi.

22 Tachwedd, 2001

Mae yna ben draw i ddialedd

Roedd hi'n ferch annisgwyl o drawiadol. Roedd ei gwallt browngoch wedi ei dorri'n fyr, ac roedd ganddi lygaid anghyffredin. Ni chymrai fawr o sylw o'r merched eraill, ac roedd yna herfeiddiwch yn ei hosgo. Roedd wedi bod dan glo ers dros ddeuddeng mlynedd, a hithau heb fod eto'n dair ar hugain oed. Doeddwn i rioed wedi disgwyl dod ar ei thraws, ddim hyd yn oed mewn carchar. I mi, fel pawb arall, roedd hon wedi disgyn i lawr ceudwll hanes, a doedd hi ddim yn bod, dim ond fel atgof hunllefus. Ac eto, dyna lle roedd hi o'm blaen, yn fyw ac yn berson o gig a gwaed. Ei henw – Mary Bell.

Ddydd Iau diwethaf, fe beidiodd y ddau oedd yn achos yr holl gythrwfl yn Llys Preston â bod yn llythrennau. Trôdd y drychiolaethau anifeilaidd, Plentyn A a Phlentyn B yn gnawd dynol. Rhoddwyd wynebau meidrol iddynt, a bu rhywun digon di-chwaeth i roi gwisg ysgol iddynt. Cawsant enwau – Robert Thompson a Jon Venables, rhoddwyd teulu iddynt. Roedd hyn y tu hwnt inni. Chwydodd y papurau eu hatgasedd i dros 60 o wledydd ar draws y byd. Dyma oedd uchafbwynt drygioni. Dyma Lofruddiaeth y Ganrif.

Nawr, roedd gennym rywbeth amgenach na rhith i fwrw ein dicter arno. Roedd gennym wynebau i'w casáu, personoliaethau i'w harchwilio, teuluoedd i'w herlid. Gallem luchio bai at yr ysgol, at y cartref, at yr Eglwys. A gafwyd llwyfan gwell erioed i ddyrchafu ein hunain? Waeth pa mor ddwfn y suddodd yr un ohonom ni, ddaru ni rioed gyrraedd y dyfnderoedd yna.

Beth wnawn ni i wneud iawn am y fath gamwedd? Sut gallwn ni gosbi y ddau ymgnawdoliad o ysbryd y fall? Sut gallwn ni beri'r un faint o boen iddynt ag a ddioddefodd Mrs Bulger a'i mab? Beth ar wyneb y ddaear fedr beri iddynt sylweddoli maint eu galanas?

Mae ein cymdeithas wâr, soffistigedig ni am roi cynnig arni. Mae'r ddau lofrudd caled yma am gael eu cadw ar wahân, ac oddi wrth gymdeithas am o leiaf chwarter canrif. Dedfryd i Wlad Angof ydyw. Am rai blynyddoedd, byddant yn cael eu rhoi yng nghwmni'r troseddwyr dan-oed mwyaf difrifol yn y wlad. Ymhen rhyw bedair blynedd, byddant wedi caledu digon i gael eu gollwng i lawr i bydew y Troseddwyr Go Iawn. Bryd hynny, bydd Amser yn chwarae tric cas arnynt. O ran erchylltra eu trosedd a'u profiad o garchar, er yn iau, byddant yn hen mewn cymhariaeth â throseddwyr deunaw oed. Hyd yn oed o fewn adran Diogelwch Dwys y carchar, bydd yn rhaid eu gwahardd rhag cymdeithasu ag eraill. Gallai hynny fod yn ddigon am eu bywydau. Mae bod yn esgymun ymysg cymdeithas gaeth carcharorion yn uffern. Bydd cell yn troi yn noddfa. Bydd brics yn llai ciaidd na dynion, a pha mor ddiflas bynnag fydd y muriau, fyddan nhw ddim yn eu bygwth. Bydd cysur annaturiol i'w gael mewn unigrwydd. Oni fyddant o'u pwyll yn llwyr erbyn hynny, bydd yna ysbrydion wrth law yn wastadol – hiraeth, dicter, colled, galar, ofn, difaru. Bydd hunan-laddiad yn freuddwyd barhaol tu hwnt i'w cyrraedd.

Yn bymtheg ar hugain oed, fyddan nhw erioed wedi cusanu merch, heb sôn am garu un. Fyddan nhw ddim wedi cael eu hanwesu, dim ond gan ddynion blysiog o bosib. Fyddan nhw rioed wedi yfed peint o gwrw, nac wedi cael chwarae pêl-droed. Mi fyddan nhw wedi colli cysylltiad yn llwyr â natur ac anifeiliaid. Bydd cynhesrwydd cyfeillgarwch yn hollol ddieithr iddynt. Fyddan nhw ddim wedi gweld wyneb plentyn ers dydd eu trosedd.

Pa fath o fonstyrs fyddwn ni wedi eu creu erbyn hynny? Pa mor ddrwg bynnag oedd y ddau hyn wrth gael eu dedfrydu yn un-ar-ddeg oed, fedr rywun fy argyhoeddi i fod oes o garchar yn mynd i wneud rhain yn eneidiau gwell? Os cawn nhw ddod allan byth, bydd cymdeithas yn dal i weiddi am eu gwaed. Mam Robert oedd yr unig un wynebodd y gwir pan ofynnwyd iddi sut y byddai'r cyfan yn gorffen i'w mab. 'Mewn arch' oedd ei hateb plaen.

Gwewyr yr achos hwn yw na all cymdeithas ddyfeisio cosb ddigon egr i gyfateb i'w trosedd. Chaiff hi ddim darnio'r ddau gorff bach yma gymal wrth gymal fel yr hoffai wneud. Rhaid iddi wynebu'r gwir anodd – fod yna ben draw ar Ddialedd. Ymhen blynyddoedd, fe'n gorfodir i gyflawni'r dasg eithaf. Bydd yn rhaid inni faddau. Dyna sy'n ein brifo.

Ddaw dim â James Bulger yn ôl, a wnaiff dim leddfu colled mam – a dyna'r unig bethau cyfrif mewn gwirionedd. Ar ddiwedd yr achos, ac wedi'r ddedfryd, dywedodd Jon Venables, *'will you please tell them I'm sorry'*. Priodol fyddai i ninnau ymarfer y geiriau. Mi fyddant yn addas i ni i gyd ymhen chwarter canrif pan sylweddolwn fod y bywydau a ddinistriwyd yn yr achos hwn wedi codi o un i dri.

4 Rhagfyr, 1993

Bywyd arall ifanc wedi ei chwalu
yn nhrasiedi bywyd Mary Bell

I'r sawl a'i gwelodd, mae'n wyneb na ellir ei anghofio. Y llygad sy'n taro rhywun gyntaf, oherwydd eu glesni tanbaid. Mae'r gwallt coch yn denu sylw hefyd, ac mae'r modd y caiff y pen ei ddal yn cyfleu balchder herfeiddiol. I'r gweddill ohonom oedd yn *workroom* carchar Risley ym mis Medi 1977 roedd presenoldeb Mary Bell yn ein plith yn lleddfu peth ar y diflastod.

Pedair ar bymtheg oed oedd y ddwy ohonom, ond roedd bydoedd yn ein gwahanu. Roeddwn i'n treulio mis yno am beidio talu dirwyon, roedd hi yno dan wyliadwriaeth arbennig wedi iddi lwyddo i ddianc o garchar ychydig fisoedd ynghynt. Malu dipyn o arwyddion ffyrdd a ffenest tŷ haf oedd fy nhrosedd i. Lladd dau blentyn bach pan yn un-ar-ddeg oed oedd ei throsedd hithau. Run gwaith oedd y ddwy ohonom yn ei wneud – trwsio crysau'r carcharorion gwrywaidd, ond dyna'r unig beth oedd yn gyffredin rhyngom.

Doedd fy mam i ddim yn puteinio, a ches i rioed fy nghamdrin yn blentyn. Atgofion hapus sydd gen i o'm plentyndod, a chefais fy nysgu'n gynnar gartref ac yn yr Ysgol Sul, y gwahaniaeth rhwng da a drwg. Gan bennaeth y Red Bank Special Unit y cafodd Mary Bell yr addysg yma – yn un-ar-ddeg oed.

Pan adewais i'r carchar wedi rhai wythnosau, roedd teulu a chymuned yn llawn caredigrwydd. Pan adawodd Mary Bell Risley, fe'i trosglwyddwyd yn ôl i garchar *maximum security* Styal – y fan y dihangodd ohono. Yn ddiweddarach, bûm innau o fewn muriau Styal, a dydi o ddim yn lle y dymunwch aros yn hir ynddo.

Yn dair ar hugain oed, ym 1980, rhyddhawyd Mary Bell. Yn ystod y naw mis yng Ngharchar Agored Askham Grange pan oedd yn cael ei rhyddhau yn achlysurol i ddod i arfer â chymdeithas, daeth gŵr priod yn gyfeillgar â hi.

Erbyn dyddiad ei rhyddhau, roedd Mary Bell yn feichiog a chafodd erthyliad. Doedd o mo'r ffordd i gychwyn bywyd newydd.

Daeth o hyd i hapusrwydd yn ddiweddarach pan setlodd gyda'i chariad, ac roeddynt yn awyddus i gychwyn teulu. Am chwe mis bu raid iddi fod dan oruchwyliaeth seiciatryddol i weld a oedd yn deilwng i feichiogi. Yn 1984, rhoddodd enedigaeth i ferch fach, a bu raid i'r teulu ifanc fod mewn canolfan asesu am chwe mis yn cael eu gwylio nes i Uchel Lys y wlad ddyfarnu eu bod yn rhieni ffit i fagu plentyn. O'r eiliad honno, dan enw arall, magodd Mary Bell ei phlentyn am bedair mlynedd ar ddeg, yn symud o fan i fan i sicrhau na allai'r Wasg na neb arall fyth ganfod pwy ydoedd mewn gwirionedd.

Dim ond dychmygu'r straen y mae'r fath fywyd yn ei olygu allwn ni – yn feddyliol yn ogystal ag yn ymarferol. Doedd o ddim yn rhyfedd i Mary Bell gydsynio ddwy flynedd yn ôl i gydweithio ar lyfr yn adrodd hanes ei bywyd dan y teitl *Cries Unheard* gan Gitta Sereny.

Falle y dywedwch mai ei bai hi ydoedd am danio'r fatsien. Falle mai safbwynt Mary Bell oedd ei bod am ddweud ei hochr hi o'r stori, ddeng mlynedd ar hugain yn ddiweddarach.

Mae trasiedi bywyd Mary Bell yn dal i fynd yn ei flaen. Wrth i'r llyfr gael ei gyhoeddi, daeth cŵn hela'r Wasg at ei gilydd.

Am ddau o'r gloch y bore, ddydd Llun, Ebrill 27, 1998, roedd yr heddlu yn curo ar ddrws cartref Mary Bell ac yn mynnu fod yn rhaid i'r teulu symud er mwyn eu diogelwch eu hunain. Dyna pryd y clywodd y ferch bedair ar ddeg oed am y tro cyntaf y gwirionedd mai Mary Bell oedd enw gwreiddiol ei mam. Dyna fywyd arall ifanc wedi ei chwalu.

Yr hyn mae'r cyhoedd – a'r Prif Weinidog, a'r Ysgrifennydd Cartref – yn ffyrnig yn ei gylch yw fod Mary Bell yn 'elwa ar ei throseddau'. Fel y dywedodd rywun, os mai chwilio am arian mawr oedd Mary Bell, gallai fod wedi gwerthu ei stori flynyddoedd yn ôl i bapur tabloid. Ddaru hi ddim. Dewisodd adrodd ei stori arbennig ei hun, ac mae ganddi run hawl ag unrhyw berson arall i dâl am y stori honno. Mae'n stori drist sy'n peri inni gywilyddio fel cymdeithas fod y fath amgylchiadau yn gallu digwydd. Yn y llyfr mae Mary Bell yn datgelu sut y mae wedi sylweddoli maint ei throsedd wedi iddi hi ei hun ddod yn fam. Does dim diwrnod yn mynd heibio heb iddi orfod wynebu'r hunllef o'r hyn a wnaeth i Martin Brown a Brian Howe, ill dau yn dair oed. Mae honno'n fwy o gosb na all yr un llywodraeth ei gosod, ac y mae'n ddedfryd am oes.

Yr unig rai na ellir disgwyl iddynt fod yn oddefgar yw rhieni Martin Brown a Brian Howe. Maent wedi dioddef tu hwnt i ddirnadaeth. Am y gweddill ohonom, siawns na allwn ganfod yn ein calonnau rhyw ronyn o faddeuant i enaid euog un sy'n difaru. Oni allwn, waeth inni fod yn gwbl onest a dweud mai un ateb yn unig fydd yn ein digoni – crogi Mary Bell.

9 Mai, 1998

Rŵan mae'r hunllef go iawn yn cychwyn

Un o'r colofnau cyntaf i mi eu hysgrifennu i'r *Herald*, wyth mlynedd yn ôl bellach, oedd yr un ar achos llofruddwyr James Bulger. Dan y pennawd 'Mae yna ben draw i ddialedd', dychmygais sut fyddai Robert Thompson a Jon Venables erbyn amser eu rhyddhau – ymhen chwarter canrif fel y deallwyd ar y pryd.

Dychmygais yr amser caled y byddent wedi ei gael mewn borstal, y cyfnod gwaeth mewn carchar oedolion, sut na fyddent wedi cael eu mwytho o gwbl, na'u caru, na fyddent wedi cael y profiad o fynd i gêm bêl-droed, cymdeithasu mewn tafarn, na fyddent wedi cael gweld plant nac anifeiliaid.

Y cwestiwn a ofynnais oedd, 'Pa fath o fonstyrs fyddwn ni wedi eu creu erbyn hynny?'.

Wyth mlynedd yn ddiweddarach, mae eu traed yn 'rhydd'. Ac yn y papurau, cawn wybod fod eu carchariad wedi bod yn llai llym na'r disgwyl.

Wyth mlynedd yn ôl, roedd y ddau yn fechgyn truenus o gefndir anffodus, ac yn anllythrennog i bob pwrpas. Bellach, mae Robert Thompson yn ŵr ifanc swil gyda diddordeb cryf mewn ffasiwn. Mae ganddo bump gradd TGAU a sawl lefel A. Mae Jon Venables yntau gyda saith gradd TGAU a sawl lefel A, ac yn awyddus i gael addysg prifysgol. Mae'n ddarllenwr brwd ac yn mwynhau ysgrifennu. Mae ei fam wedi bod mewn cysylltiad parhaus ag o.

Nid ydynt, yn groes i'r disgwyl, yn camu o ddrysau caeedig borstal i'r byd mawr tu allan. Yn ystod y blynyddoedd dwytha, maent wedi cael sawl trip allan, weithiau yn wythnosol. Dan oruchwyliaeth, maent wedi cael tripiau siopa i Sheffield a Manceinion, wedi cael mynd i'r theatr i weld cynyrchiadau Shakespeare, wedi cael mynd i weld gemau. O fewn yr uned borstal gymysg, fe gafodd Robert Thompson berthynas â merch. Maent wedi ymweld â thafarnau.

Nid yw'r naill fachgen wedi gweld y llall ers iddynt rannu sedd yn y doc yn yr achos llofruddiaeth byd enwog.

Yn awr, y maent yn y byd mawr dan amgylchiadau cwbl afreal. Cawsant enwau gwahanol, hunaniaeth wahanol a chefndiroedd ffug. Dan oruchwiliaeth lem, byddant yn cael eu cartrefu mewn tai saff ar y cychwyn, ac ni fydd neb yn gwybod pwy fyddant.

Bydd yn rhaid i'r ddau hysbysu'r Gwasanaeth Prawf am bob newid yn eu haddysg, eu cartrefi, eu gwaith a'u perthynas bersonol.

Does neb i fod i wybod sut olwg sydd arnynt. Eto, ddiwrnod wedi eu rhyddhau yr oedd un o'r papurau newydd wedi cael gafael ar luniau diweddar ohonynt. Dim ond i'r rhain gael eu cyhoeddi ar y we, a bydd pawb wedi eu gweld.

Mae symiau enfawr o arian yn cael eu cynnig i wardeiniaid fu'n gofalu amdanynt am y mymryn lleiaf o wybodaeth. Mae cannoedd o bobl eisiau dial arnynt. Yr ofn yw y bydd y rhain wedi eu canfod o fewn wythnosau. Rŵan mae'r hunllef go iawn yn cychwyn i Robert Thompson a Jon Venables.

Wn i ddim beth mae hyn yn ei ddweud am ein cymdeithas, nac am ein cyfryngau torfol. Daeth papurau newydd yn gyfraith iddynt eu hunain, uwchlaw dedfryd llys na barn llywodraeth. Mae ganddynt y grym a'r gallu i greu hysteria ymysg pobl, gan apelio at eu cyneddfau gwaethaf.

Yn wir, oherwydd y cyfryngau torfol y mae gan bob un ohonom y ddelwedd annileadwy honno o James Bulger ddwyflwydd yn cael ei hudo ymaith gan ei lofruddwyr, ac anodd iawn yw dileu delwedd mor emosiynol â hynny.

Faint o ddialedd fyddwn ni'n fodlon arno? Hyd yma, bu bywyd Robert Thompson a Jon Venables yn eitha saff. Beth bynnag fo'r anfanteision, mae muriau carchar yn gallu rhoi rhyw sicrwydd rhyfedd i chi. Efallai ei bod yn anodd dianc ohonynt, ond mae'n anodd iawn i ddialedd dreiddio drwyddynt hefyd.

A hyd yma, bu muriau borstal yn darian go effeithiol i'r ddeuddyn hyn. O hyn allan, bydd rhaid iddynt ddeffro bob bore a chael Ofn yn gymrawd parhaol. Ni allant fentro allan o'u tai heb deimlo fod rhywun yn eu dilyn. Waeth pa lwybr mewn bywyd a ddewisant, bydd eu cyfrinach erchyll yn rhan ohonynt. Wrth wneud cyfeillion, wrth gychwyn perthynas, ni allant ar boen eu bywyd ddatgelu'r gyfrinach honno.

Ac wrth gwrs, mae'r baich trymaf oll, baich cydwybod. Waeth i ba raddau y byddant wedi edifarhau, wnaiff o ddim dileu'r drosedd. Ac mi wranta i y bydd y boen yn seithgwaith gwaeth pan ddont yn rhieni eu hunain.

Oni fydd rhywun wedi dial arnynt cyn hynny, mae perygl hunan-laddiad, salwch meddwl, neu geisio boddi'r gorffennol mewn alcohol neu gyffuriau yn un real iawn. Wrth edrych ar wynebau dengmlwydd y troseddwyr hyn, gwyddom mai trasiedi sy'n eu haros. Rŵan – onid ydi hynny'n ddigon o ddialedd i'n bodloni?

Mae yna gwestiynau dwfn y dylem eu wynebu fel cymdeithas wrth i bennod arall o'r stori hon ddatblygu. Ers 1993, faint sydd wedi ei wneud i wella cyflwr cymdeithasol y stadau tai hynny lle magwyd Robert Thompson a Jon Venables? Fawr ddim, mi wranta i. Mae yna rywbeth enbyd o drist mai yr unig ffordd y cafodd y ddau yma well addysg a chyfleoedd oedd drwy ganfod eu hunain mewn borstal. A phob dydd, mae 'na gannoedd o blant yr un fath â hwy yn cael eu cam-drin a'u hesgeuluso, ond chawn nhw mo'u clywed gan nad yw eu gweithredoedd hwy wedi bod yn rhai cweit mor erchyll.

Wyth mlynedd yn ôl, gofynnwyd i fam Robert Thompson sut fyddai'r cyfan yn gorffen i'w mab. 'Mewn arch' oedd yr ateb byr. Beryg ei bod yn agos iawn at y gwir.

Does dim sylfaenol wedi digwydd yn ein cymdeithas mewn wyth mlynedd i rwystro tynged James Bulger rhag digwydd unwaith yn rhagor.

Yr un gymdeithas ydym, er gwaetha'r newid llywodraeth; yr un wasg sydd gennym, er gwaetha'r cyfyngiadau – yr un awch am ddialedd sydd yn ein llarpio. Wedi llofruddiaeth hunllefus James Bulger, yr unig beth a ddysgasom oedd sut i gasáu yn well.

30 Mehefin, 2001

Mae dechrau'n hawdd –
dyfalbarhau sy'n anodd

Dau ddarlun ydw i am ei rannu efo chi yr wythnos hon, dau
eithaf.

Y cyntaf oedd y profiad o fynd i gydymdeimlo â chymydog.
Peth dieithr i'n cenhedlaeth ni ydi'r weithred hon, teimlwn
yn anghyfforddus ac allan o'n dyfnder.

Fe'n magwyd ni ar ddiwylliant y bythol ifanc a'r bythol
hapus, a does dim lle i rywbeth mor annaturiol â marwolaeth
yn y diwylliant hwnnw.

Euthum i'r tŷ felly yn ceisio ymddwyn mor normal â
phosib gan siarad bymtheg y dwsin a chymryd arnaf nad
oedd dim wedi newid. Yna, cefais wers go egr.

Daeth gwraig yn ei nawdegau i mewn, gafael yn nwylo'r
cymydog mewn galar, eistedd i lawr a wylo. A dyma
sylweddoli nad oedd pethau yn 'normal' o gwbl, ac na fyddai
dim byd yr un fath.

Yr oedd rhywun wedi ein gadael, ac roedd yr hen
wreigan yn profi galar gwirioneddol. Eistedd yn dawel a
wnaethom wedyn, a rhoi'r gorau i smalio.

Wrth sgwrsio, dyma sylweddoli fod yr hen wreigan wedi
cael profedigaeth lem hanner can mlynedd ynghynt, a dyma
gyfeirio at y cerrig milltir mawr yn ei bywyd.

Fel rhywun yn edrych arnynt o'r tu allan, roeddwn yn dyst
i'r hyn alwodd Waldo yn 'adnabod'. Roedd y teuluoedd hyn
yn adnabod ei gilydd ers dyddiau ysgol, yn gwybod am
lawenydd a thristwch y naill dylwyth a'r llall, wedi tyfu gyda'i
gilydd ac yn gefn i'w gilydd mewn stormydd. Dyma wir ystyr
'cymuned' a mwyaf sefydlog yw'r gymuned honno, mwyaf

yw'r adnabyddiaeth a'r gymdogaeth. Peth yn perthyn fwy fwy i'r gorffennol ydyw. Gyda symudoledd ein cymdeithas ni, peth prin yw aros yn yr un lle ar hyd eich oes, ac o ganlyniad, mae ein hadnabyddiaeth o gymdogion yn llai.

Y darlun arall yw pentref bach yng ngorllewin Clwyd, ar bnawn poeth o Fehefin. Rydw i tu allan i ysgol gynradd wedi bod yn siarad efo'r plant. Prin iawn oedd y Cymry Cymraeg yn eu mysg, ond yr oeddynt oll bron wedi dysgu Cymraeg. Dyma oedd iaith y dosbarth, ond yn Saesneg y siaradai'r plant gyda'i gilydd, a Saesneg oedd iaith y chwarae ar yr iard.

Carwn ddweud mai eithriad oedd hyn, ond ni fyddai'n wir. Wrth ymweld â saith ysgol yn y cylch, y patrwm hwn oedd yn gyffredin. Hyd yn oed wrth ymweld ag ysgolion swyddogol Gymraeg, roedd y Cymry Cymraeg naturiol yn brin fel aur.

Mor brin fel y byddai athro neu athrawes yn dweud: 'hogyn hwn a hwn ydi o', ac mi fyddech yn adnabod 'y teulu Cymraeg' yn yr ardal honno. Rydw i yn gyfarwydd â hyn yn ochrau Fflint, ond rydan ni'n sôn yn fan hyn am berfeddion Sir Ddinbych.

Soniodd un prifathro am blentyn fferm na chlywodd am y gair 'beudy', ac ysgwyddodd ei ben. 'Mae'n hen bryd i mi ymddeol,' meddai, 'dwi'n perthyn i'r oes o'r blaen'.

Nid y plant oedd yn estron, ond yn hytrach y fo, a chofiais rybudd J R Jones am y profiad ingol 'fod eich gwlad yn eich gadael chwi, yn darfod o fod dan eich traed, yn cael ei sugno i ffwrdd i feddiant gwlad a gwareiddiad arall'.

Deuthum allan o'r ysgol ar y pnawn poeth hwnnw a gweld yr olygfa gyfarwydd o famau a phramiau yn dod i lawr yr allt. Fe'i clywais yn siarad, ac roedd pob un yn siarad Saesneg. Trois i weld y plant yn dod i'w cyfarfod, a Saesneg oedd cyfarchiad pob un. Yr oedd y Gymraeg wedi darfod wrth i ddrws yr ysgol gau, a Saesneg oedd iaith bob dydd y gymuned honno yng nghanol Sir Ddinbych.

Dyna i chi ddau ddarlun o gymuned, dau eithaf. Un yn enbyd o gyfoes a'r llall yn hen ffasiwn.

Ar y dydd Sadwrn cefais fod yn rhan o drydydd darlun. Y tro hwn, mae mwy o sŵn, mae band pres yn chwythu ac yn curo, ac mae cannoedd o bobl o'm cwmpas. Yn sydyn mae'r dorf yn tawelu ac mae gorymdaith fechan yn dod tuag atom. Criw o streicwyr ydynt, Cymraeg eu hiaith a Chofis, sydd wedi bod ar sreic am un wythnos ar ddeg yn erbyn pennaeth Americanaidd eu ffatri.

Maent yn wynebu toriad mewn cyflog a bygythiad i'w hundeb, ac maen nhw'n gwbl gadarn yn eu brwydr. Mae hwn yn ddarlun sy'n cydio'r gorffennol a'r dyfodol. Mae gwerin Sir Gaernarfon yn hen gyfarwydd â chyflogwyr barus, ac maent yn gyfarwydd â bod ar streic.

Cyfaddefodd sawl un y byddent wedi rhoi'r gorau i'r streic oni bai am gefnogaeth pobl eraill, ar ffurf bwyd, arian a chefnogaeth bersonol.

I mi mae brwydr gweithwyr Friction Dynamex yng Nghaernarfon yn gwbl allweddol i'r iaith. Os cyll y rhain eu gwaith, dyna'r farwol i 86 o deuluoedd Caernarfon. Mawr yw'r sôn am 'dai a gwaith i gadw'r iaith' – wel dyma'r cyfle.

Mae cefnogaeth i'r streic yn gefnogaeth i gymuned, i hawliau gweithwyr ac i'r Gymraeg. Roedd hi'n deilwng fod tyrfa o dros fil wedi dod i ddangos eu cefnogaeth.

Ym mhen arall y sir, yn Mynytho, daeth criw arall i gyfarfod. Tra roedd rali mor bwysig yn cael ei chynnal yng Nghaernarfon dros iaith a chymued roedd hi'n chwithig fod criw wedi trefnu rali arall dros 'Cymuned', ond dyna sut y digwyddodd pethau.

Daeth tyrfa anrhydeddus o bum cant ynghyd, ac roeddynt yn amlwg wedi dod yno oherwydd pryder gwirioneddol ymysg trigolion Llŷn a mannau eraill am yr hyn sy'n digwydd yn ein cymunedau.

Nid bygythiad gwag yw'r gair 'mewnlifiad' i ni sy'n byw yng nghefn gwlad, mae'n realiti dyddiol, a gwyddom mai ni yw'r rhai nesaf i brofi'r hyn sydd yn digwydd ar hyn o bryd ym mhentrefi Sir Ddinbych.

Oes, mae yna bryder gwirioneddol, ac mae'n bwysig fod y pryder hwnnw yn cael ei leisio ac yn cael ei gyfeirio i'r man cywir. Mae'n hen broblem, ac mae mwy o angen nac erioed i weithredu i'w datrys.

Dydw i ddim yn siŵr pam fod criw o Dal-y-bont yn trefnu rali ym Mynytho, ond dyna sut digwyddodd. Mi fyddai'n gwneud mwy o synnwyr i drigolion Tal-y-bont drefnu rali yn eu cymuned eu hunain a Mynytho wneud yr un modd. Mae dirfawr angen i bob pentref yng Nghymru ddod ynghyd a chael criw mor fawr ag oedd ym Mynytho i leisio eu pryderon, i leisio anniddigrwydd, ond yn bennaf oll i weithredu.

Bu elfen o siom ym Mynytho y Sadwrn diwethaf. Yn anffodus, mi ddaru ni ostwng i gecru ymysg ein gilydd ac i daflu sen. O ganlyniad dyna sydd yn cipio'r penawdau. Pa mor eithafol mae un gŵr wedi ymosod ar ŵr arall. Pa mor chwyrn mae un mudiad wedi bod yn erbyn mudiad arall. Ydi'r mudiad sydd wedi dioddef sen yn ei ddiarddel ai peidio?

A'n helpo, fedrwn ni ddim codi uwchlaw hyn yn awr ddwysaf ein hargyfwng?

Ymysg hen gymunedau sefydlog, ymysg ein cymunedau brau, ymysg gweithwyr sy'n gweld eu dyfodol a'u teuluoedd yn cael eu bygwth, mae yna broblemau enbyd. Ers chwarter canrif a mwy, mae gennym strwythur pleidiau i fynegi'r anniddigrwydd hynny, a'r mandet i weithredu. Mi wn i fod yna rhywbeth rhamantaidd iawn ynghlwm wrth gychwyn mudiad newydd, a bod sbri plentynaidd i'w gael o geisio cael y gorau ar ein gilydd, ond nid dyma'r amser ac nid dyma'r lle.

Yn wyneb ystadegau sy'n ein sobri, ein dyletswydd ni yw gwneud y gorau medrwn ni o fewn y strwythur presennol. Dylem ymdynghedu i weithio'n llawer caletach a dyblu'n hymdrechion – os ydym o ddifri yn poeni.

Mae cychwyn sioe newydd yn hawdd, y peth anodd yw dyfalbarhau.

14 Gorffennaf, 2001

Y boen ingol o fwynhau gwyliau

Y bore o'r blaen, yn blygeiniol iawn, euthum â'm rhieni i ddal y bws. Dim byd anghyffredin yn hynny, meddech chi, ond yr oeddynt yn mynd ar daith go hir. Roedd bws y Seren Arian yn eu codi ger Garej Dinas a doedd o ddim yn stopio wedyn nes cyrraedd Brwsel. Oedd, roedden nhw'n mynd Ar Wyliau.

Byddai'n braf meddwl fy mod yn gwneud ffafr â hwy, ond gwyddwn yn amgenach, yn achos Mam p'run bynnag. Dydi Mam ddim yn lecio mynd ar wyliau. Yr oedd hyn yn amlwg yn y modd yr oedd yn gadael ei chartref.

Fedrwch chi ddweud pwy yw'r teithwyr go iawn yn ôl y ffordd y maent yn gadael eu tai. Dyna lle roedd Dad yn rhadlon braf, gwên ar ei wyneb, wedi ymlacio yn llwyr. Yr oedd popeth mewn trefn ganddo, pob gorchwyl wedi ei chyflawni, ei anghenion prin wedi eu pacio'n ddestlus, a'r llyfr taith dan ei fraich. Yr oedd cynllun trefnus yn ei feddwl, ac yn fwy na dim, roedd o'n gwybod i ble roedd o'n mynd. Roedd o'n batrwm o berson yn edrych ymlaen.

Nid felly fy Mam. Er iddi godi cyn cŵn Caer, yr oedd yna banig o'i chwmpas. Rhuthrai o un stafell i'r llall heb wybod yn iawn am yr hyn roedd yn chwilio.

Roedd ganddi syniad pa ran o'r cyfandir yr oedd yn mynd, ond dyna'r cwbl. O lle roedd yn hwylio, i ba le, a phryd – roedd yn ddirgelwch llwyr.

Ar gadair y gegin yr oedd blows angen botwm, wrth y ffôn yr oedd sawl rhestr gyda chant a mil o bethau heb eu cyflawni. (Bydd yn fy lladd am ddweud hyn, ond dwi'n teimlo'n go saff a hithau'n bell yn Brwsel…)

Yr oedd y cês yn agored ar y gwely a hithau heb fod yn siŵr beth i'w wisgo. Wrth y drws yr oedd Y Bag Llaw.

I bobl sy'n casau teithio Y Bag Llaw yw'r hyn sy'n eich cadw rhag gwallgofi. Mae'r cês yn orlawn, ond mae modd stwffio unrhywbeth i'r Bag Llaw.

Yn ystod yr eiliadau olaf erchyll hynny cyn gadael, mae modd mynd ar wib o amgylch y tŷ a rhoi popeth all ddod yn handi yn y Bag Llaw – RHAG OFN. Llyfrau i'w darllen, jymper weu ar weill, botymau sbâr, edau a nodwydd, casetiau, brechdannau, newid mân, sbectol haul wedi torri, gliw, siwmper ychwanegol, bananas, afalau, ac unrhywbeth o'r cwpwrdd rhew sydd mewn peryg o bydru tra rydych i ffwrdd. Wps – a goriad y tŷ. Yr oedd rhaid smyglo'r Bag Llaw heibio 'nhad rhag ofn iddo sylwi ei fod yn pwyso mwy na'r cês.

'Barod?' mentrais.

'Wps – tabledi teithio…'

Datgloi'r drws ffrynt a chael y tabledi.

'Reit – i ffwrdd â ni.'

'Dwi 'di anghofio ffonio'r dyn bara.'

'Ffonia i'r dyn bara.'

'Dydi pobol drws nesa ddim yn gwybod bod ni ffwrdd.'

Dim ond am bum diwrnod maen nhw allan o'r wlad.

Dim ond ar adegau prin y gorfodir rhywun i lusgo ei mam yn llythrennol a'i gosod mewn car. Fel rheol, mae'r sicrwydd hwnnw y gallwch 'droi yn ôl' i gyrchu'r hyn a anghofiwyd, ond efo llond siarabang ar ei ffordd i Dover, fedrwch chi ddim gwneud hynny. Gwnaeth hyn y panics yn llawer gwaeth.

Cyrraedd Capel Glan-rhyd cyn cael y sgrech,

'Cesys! Dan ni wedi anghofio'r cesys!'

'Ma'n nhw yn y bŵt.'

Tawelwch.

'Gymrais i'r tabledi teithio?'

Gwneud yn siŵr (deirgwaith) fod y cesys wedi eu trosglwyddo o gefn y car i gefn y bws, a llwyddo i smyglo'r *'Hand Luggage'* heibio'r gyrrwr. Fues i rioed balchach o weld cefn bws.

Mae rheswm seicolegol eitha syml dros ymddygiad o'r fath. I'r sawl sydd ddim yn ei nabod, mae fy mam yn ddynes gwbl normal. (I'r sawl sydd *yn* ei nabod, fe wyddoch yn well). Mae Mam yn gwbl hapus adref.

Dydi hi ddim eisiau gadael ei thomen ei hun. A phan gaiff ei gorfodi i wneud hynny, mae'r dasg o ymadael â phethau cyfarwydd bywyd yn peri loes calon. Mi wn i, achos rydw i'n debycach i Mam nag i 'Nhad.

Mewn tridiau, byddaf innau yn gadael y baradwys hon sy'n gartref i mi. I'r sawl ddarllenodd fy ngholofn ddwytha, gwyddoch mor hapus ydw i'n crwydro ei herwau. Ond am ryw reswm, tydi hynny ddim yn ddigon da, a rydan ni am fynd i ffwrdd i'r Eidal.

Ar ôl cyrraedd yno, byddaf yn berffaith fodlon ac yn gwaredu gadael – y broses o symud sy'n peri poendod.

Dwi'n gwybod ers chwe mis fy mod i'n Mynd i Ffwrdd. Gwyddwn yr eiliad y daeth y gŵr adre efo y *Rough Guide* dan un fraich a chasetiau *Italian Made Easy* dan y llall. Ers misoedd mae wrthi'n ddygn fel tase fo'n eistedd lefel A mewn Teithio'r Eidal. Erbyn hyn, a thridiau i fynd, dwi'n teimlo fel y Forwyn Ffôl. Hen deimlad cas ydio. Dwi'n cael cwestiynau amhosib i'w hateb megis yr un, 'Lle caret ti fynd ar ôl Verona?'

Dydw i ddim wedi darllen y cyflwyniad i'r wlad, heb sôn am gyfeirio at drefi yn ôl eu henwau. Geisiais i wrando ar y tapiau, ond wedi hanner awr o ddynes wirion yn archebu dysglaid o basta, ni fedrwn oddef rhagor.

A dyna'r pacio. Ar y drôrs, y mae y dillad angenrheidiol.

Pob dydd, mae'r pentwr yn cael ei newid. Falle y bydd hi'n rhy oer i drowsus cwta – a dwi'n ei gyfnewid am drowsus hir.

Does dim byd gwaeth na chael dim i'w wisgo, felly dwi'n gwthio blows ar y pentwr – un denau, nes nad ydi'n gwneud fawr o wahaniaeth. Peth dychrynllyd ydi rhynnu, felly wnaiff haen ychwanegol, ar ffurf cardigan fawr o wahaniaeth. Bellach, mae'r pentwr wedi dyblu mewn maint a phwysau.

Bydd llyfrau yn ei ddyblu eto. Haf dwytha cyfyngais fy hun i ddwy nofel. Treuliais weddill y gwyliau yn chwilota siopau llyfrau am yr adran brin honno *English Novels*.

Yn wahanol i'm rhieni, tydi'r Seren Arian (na'r un seren arall yn y ffurfafen) wedi trefnu popeth ar fy nghyfer. Does gennym unman i aros ynddo y noson gyntaf (yr hostel yn llawn).

Yn hytrach na chysgu yn yr un gwely – wedi canfod un – byddwn fel teulu Abram Wood yn 'newid aelwyd bob yn eilddydd'.

Mae hynny'n gallu rhoi lot o straen ar berthynas. Problem ychwanegol yw dysgu y cymal holl bwysig 'heb gig' yn Eidaleg. Mi fyddai *pizza* yn ddelfrydol, ond dwi'n teithio efo cymar sydd ddim yn lecio caws. *Dwi'n* lecio caws ac yn casáu mynyddoedd. Fel arall mae o.

Dyna sy'n digwydd mewn gwyliau, mae'r hyn sy'n ein gwneud yn unigryw yn dod i'r wyneb. Mae'r obsesiynau bach y gellir eu goddef adref yn troi yn broblemau na ellir eu goresgyn.

Pwy bynnag sy'n eistedd adref, ei thraed i fyny a phaned yn ei llaw, yn darllen hwn ac yn gwybod lle mae'n cysgu heno, gwyn eich byd chi. Mi rown y byd am gael bod yn eich slipars.

9 Medi, 2000

Rhyfeddodau'r ddinas yn chwalu fy rhagfarn

Rydw i'n sgwennu'r geiriau hyn chwe milltir i fyny yn yr awyr – diolch i Hoover.

Tydi hwfyrs ddim yn bethau rydyn ni'n arfer eu cysylltu â'r uchder yma, ond roedd hyn yn eithriad. Amser maith yn ôl, fe gynigiodd cwmni Herbert Hoover drip am ddim i Merica tasech chi'n prynu un o'u peiriannau. Wnaeth y cynnig fawr o les i boced Hoover, ond bu'n fuddiol iawn i bocedi'r rhai ffodus ohonom gafodd fanteisio ar y fargen.

Ffwrdd â ni felly i Efrog Newydd. Teimladau cymysg oedd gen i – ofn yn gymysg â rhagfarn. Ro'n i'n casáu 'Mericanwyr, tra'n cysylltu Efrog Newydd efo trais. Fedrwch chi mo 'meio i. Mae yna 4,000 o filltiroedd rhwng America a Chymru. Drwy ffilmiau y cefais fy nghyflwyno i'r wlad. A tydi'r twristiaid Americanaidd ddaw i Gaernarfon mo'r llysgenhadon gorau. Ychydig oriau'n unig a gymrodd i chwalu'r rhagfarn. Roedd pawb welais i yno yn bobl glên iawn, ac mi ddois adra'n fyw. Mewn gwlad efo cymaint o saethu ynddi, rydw i'n ystyried hynny'n dipyn o fargen.

Rhaid i chi fod braidd yn wallgof i fyw yn Efrog Newydd medda nhw, felly ro'n i'n cychwyn ar y droed iawn. Rhaid i chi beidio â gadael i sŵn darfu arnoch yn ormodol hefyd – boed o'n fiwsig calypso ar ochr stryd, yn gyrn tacsis yn canu am ddau o'r gloch y bore, neu os buoch chi'n ddigon anffodus i gael gwesty oedd yn digwydd bod uwchben gorsaf dân.

Mae'n hanfodol – er mwyn eich mwynhad eich hunan – fod gennych chi ddiddordeb mewn pobl, o bob cenedl dan haul. Pobl y Caribî, Canol America, De America, Groegwyr,

Eidalwyr, Iddewon, Gwyddelod, Tseineaid, Japaneaid. Efrog Newydd yw'r ddinas mwyaf amrywiol ei phoblogaeth yn y byd. Mae'n rhaid i chi hefyd fwynhau bod yn agos atynt – mewn lifft, mewn trên, mewn caffi, mewn pictiwrs – does yna ddim lot o le i bawb.

Mae'n help mawr os ydach chi'n hoffi bwyta – unrhyw beth, unrhyw amser. Brecwast yn Efrog Newydd ydi crempog, jam a menyn yn llifo arni, syrup drosti, sosej a wyau – ie, i gyd ar yr un plat. Nhw sydd â'r dewis gorau o goffi, *muffins*, hufen iâ, cigoedd, gwinoedd, *donuts*, *Coke*. Mentrwch i flasu bwydydd cenhedloedd eraill hefyd – piciwch i Chinatown i weld pysgod hyd eich braich yn sglefrio mewn bocs o rew, a hwythau'n dal yn fyw.

Mae'n rhaid i chi fod yn un da am wario – dydi o fawr o ots ar be. Boed o'n ddiamwntiau a ffwr yn Fifth Avenue, neu'n gerfluniau plastig gwyrdd o'r Statue of Liberty – cyn belled â'ch bod yn peri i'r doleri ddiflannu, wnewch chi ddim diflasu.

Agorwch eich llygaid a rhyfeddu – at uchder *skyscrapers*, at gelfyddyd fodern, at amrywiaeth amgueddfeydd, at ddychymyg a dyfeisgarwch, at fenter a chyflymder, at gyfoesedd y cyfan. Mae'n rhaid i chi fod yn eitha rhyddfrydol eich agwedd yma. Maen nhw'n dotio at godi gwallt eich pen yma. Os ydi pornograffi, hoywon, trais, gwleidyddiaeth, rhyw, crefydd neu hiliaeth yn eich gwylltio, tydi o ddim tamaid o ots gan Efrog Newydd. Os ydyn nhw am ei wneud o, mi wnân nhw o.

Mi gymrais at y lle – er fy ngwaetha. Ches i mo fy siomi gyda'r olygfa welodd King Kong o adeilad yr Empire State. Deuthum yn ffrindiau gyda'r dduwies Roegaidd yn y caffi dros ffordd oedd yn sicrhau bod fy ffiol yn llawn o goffi. Dotiais at yr eira fel-ers-talwm yn disgyn yn dawel dros Central Park. Dysgais osgoi gyrwyr brwd y tacsis lliw caneri, a meddwais ar rywioldeb powld a pheryg Times Square.

Dwi'n credu mai'r hyn hoffais i fwyaf am ddinas Efrog Newydd yw nad yw'n cymryd ei hun ormod o ddifri. Mae ei phechodau fel ysgarlad – o afradlonedd gwyn Park Avenue i dlodi hiliol, chwerw Harlem. Dyw hi ddim yn ceisio eu cuddio. Rhwng yr eithafion hyn, mae yna bobl sy'n gwybod sut i wenu. *'Have a nice day,'* meddai'r wraig honno ben bore a'i cheg fel crocodeil. A'r tramp hwnnw oedd yn mynnu dyfalbarhau wrth ein dilyn ar hyd y stryd. *'Hey, man, that's a real cool hat you're wearing. I really love it... any spare change?'* Tu ôl inni, dan blanced, roedd gŵr arall a welodd ddyddiau gwell yn canu iddo'i hun nerth esgyrn ei ben. Os na fyddi'n gyfoethog, bydd hapus oedd byrdwn ei gân. Wrth ei ochr, pasiodd dynes wedi lapio mewn ffwr. Tu ôl iddi daeth ci yn gwisgo cot a het.

Mae'n wir na welsom ni mo'r dagrau. Yno ar wyliau yr oeddem. Dim ond ystadegau'r gofid a gawsom. Fry ymysg y *skyscrapers*, rhwng yr hysbyseb am y denim arallfydol a choca cola'r duwiau roedd hysbysfwrdd arall. Mewn llythrennau wedi eu goleuo, roedd galwad am reoli nifer y gynnau oedd yn yr Unol Daleithiau.

Ar ddydd Gwener, Ionawr 7, roedd nifer y rhai a laddwyd gan ynnau yn 1994, yn 669. Erbyn y dydd Sadwrn roedd y rhif yn 743. Cyn gadael fore Mawrth, dyma gael sbec sydyn i weld y sgôr diweddara. Oedd, roedd o dros fil. Nifer y bywydau a gollwyd oherwydd gynnau mewn deng niwrnod yn yr UDA – 1004. Os llwyddwch i'w oroesi – *have a nice day*.

22 Ionawr, 1994

Hud y daith yr un o hyd

Rydw i'n hel fy mhac unwaith eto – i Ganolbarth America y tro hwn. Wedi ymweld â gwlad y gorthrymwr, dyma ymweld â'r gorthrymedig – Nicaragua.

Mae gen i ofn. Nid crempog a syrup sy'n fy aros y tro hwn, ond mosgitos. Nid tacsis melyn ar amrantiad fydd yna, ond cychod cul ar afonydd maith. Sbaeneg fydd yr iaith, nid Saesneg. Tystio i dlodi pobl fyddwn ni, nid edmygu eu cyfoeth.

Pam mynd? gofynnwch. Yn hollol. Dwi'n beio'r hen ysfa wirion 'ma sy'n rhan o'm traed, a'r rhan yna o'm pen ddylai wybod yn well. Mae o'n perthyn i'r cymhelliad hwnnw oedd yn ein gyrru i ben sleid ers talwm, ac yn ein gwthio i lawr wyneb i waered ar wib. Mae o'n perthyn i'r grymoedd cudd yna sy'n ein denu at ochr dibyn. Yr un gwallgofrwydd sy'n ein gorfodi i yrru saith deg milltir yr awr. Rhan o'r atyniad ydi edrych yn ôl a rhyfeddu ein bod yn dal yn fyw.

Roedd y gwahoddiad ei hun yn ddigon i godi gwallt fy mhen. Rhaid oedd cael chwistrelliad yn erbyn popeth dan haul – cholera, polio, tetanus, typhoid, hepatitis (A a B). Rhaid oedd cael cyflenwad o dabledi malaria a fitaminau o bob math. Enwch chi o, roedd yn rhaid ei gael. Maent yn cymryd yn ganiataol y byddwn ni'n sâl rywbryd yn ystod y pythefnos. Rhaid prynu tabledi i buro dŵr, plasters, ffisig at y peth hwn a'r peth arall. Dwi'n siŵr 'mod i wedi prynu hanner Boots. Mae hi mor hawdd yma – mi fedrwn ni brynu ein iechyd dros gownter siop. Dydi'r fath foethusrwydd ddim ar gael yn Nicaragua. Mae hyd yn oed Anadin yn brin yno.

Dysgu Sbaeneg wedyn – a'n helpo. Cael gafael ar Maria de los Angeles Gonzales o Ddeiniolen (neu o Sevillia tan rhyw dri mis yn ôl) i'n trwytho ar frys yn ei hiaith frodorol. Ei llusgo lawr i Lanrug ddwywaith yr wythnos i chwysu chwartiau. Cychwyn efo berfau (cwbl afreolaidd) a gorffen gyda brawddegau mewn argyfwng – *'Sorocco, Ne me dispare – estoy de tu lado'* (Help – peidiwch a'm saethu – rydw i ar eich ochr chi).

Does yna fawr o siâp ar y pacio. Sut gwn i lle mae fy sbectol haul? Lle'r andros mae fy sandalau? Rydw i wedi tyrchu i waelod y wardrob ac wedi cael gafael ar dri crys-T a het wellt. Mi roeson ni ffidil yn y to efo'r rhwyd mosgitos – dim ond gobeithio y cawn ni afael ar rai yr ochr arall i'r Iwerydd – cyn i'r trychfilod gael gafael arnon ni.

Ar wal y gegin mae yna fap anferth melyn. Er budd fy mam, mae yna lun o'r daith arfaethedig, sy'n nodi'n fras lle byddwn ni ar wahanol ddyddiau. Siawns na rydd hyn beth trefn ar ei phryder. Edrychaf arno mewn rhyfeddod. Mewn ychydig ddyddiau, mi fydda i wedi diflannu o fan hyn. Mi fydda i yn smotyn ar goll ar y map.

Mae'r pasport ar fy nesg o'm blaen, a'r camera. O'm cwmpas, ar lawr, mae yna drugareddau Cymreig – baner Cymru, crysau 'Nid yw Cymru ar Werth', maniffesto, posteri, cardiau post a nialwch cyffelyb fydd yn cael eu trosglwyddo i bobl Nicaragua. Tybed faint wyddon nhw amdanom ni – wyddan nhw rywbeth? Tybed faint ddysgwn ni amdanyn nhw? Lwyddwn ni i gyfathrebu â'n gilydd?

Rydan ni wedi llwyddo i gael lletmy am ddim yn Llundain. Mae yna wely yn aros amdanom yn Texas i dorri'r siwrne. Rydan ni'n cychwyn o stesion Bangor ar ôl cinio ddydd Sul. Fyddwn ni ddim ym maes awyr Managua tan naw o'r gloch nos Fawrth.

Rydw i'n edrych ymlaen. Mae cefnfor anwybodaeth yn un mor fawr. Rydan ni ar fin plymio iddo, a theimlaf y trydan yn rhedeg trwy 'ngwaed. Rydw i'n ysu am glywed synau gwahanol, am gael gweld rhyfeddodau, am allu blasu bwydydd dieithr. Rydw i'n dyheu am gael diosg y fantell drom o ofn a gwneud lle i synhwyrau eraill. Rydw i eisiau torheulo dan haul trofannol, eisiau ymdrochi mewn rhaeadr gwyllt, eisiau cyfarch dwylo cyfeillgar, eisiau dawnsio i rythmau'r Caribî.

Mae'n gyfrol ddisgwylgar ac rwyf ar fin ei hagor. Does wybod beth ydw i ar fin ei ddarganfod.

26 Chwefror, 1994

Diwylliant y Coca-Cola yn rheibio'r byd yn waeth nag unrhyw gorwynt

A dyna fis Tachwedd ar ben, diolch byth. Mis ddaeth ac ymddiswyddiad Ron Davies, ac a fu'n dyst i ddifrod Corwynt Mitch – y ddau ddigwyddiad o fewn dyddiau i'w gilydd. Mis tywyll ar sawl ystyr, ac eto mis a fu'n fodd i godi'r galon.

Drwy gydol y mis hwn, rydym wedi cael bod yn dyst i haelioni pobl.

Pobl yn gwagio'r siopau mewn sawl tref wrth lenwi cychod Cymorth Cristnogol i Ganol America, pobl yn cyfrannu £18,000 i Ymgyrch Gefnogi Nicaragua Cymru yn unig, heb sôn am y miliynau i goffrau Cymorth Cristnogol, a phobl yn gefnogol iawn ar raddfa leol.

Nos Lun dwytha, yma ym Mhen-y-groes, daeth dros gant o bobl i noson goffi er mwyn Nicaragua, gan ddal ati i roi, yn anhygoel o hael.

Wythnos ynghynt, roedd y Neuadd Goffa wedi ei llenwi gyda cinio cawl a drefnwyd gan eglwysi'r cylch. Wrth ddychmygu fod hyn yn digwydd mewn sawl tref a phentref led led Cymru, roedd o'n adfer ffydd rhywun mewn dynoliaeth.

Yn ystod y dyddiau diwethaf, rydw i wedi meddwl cryn dipyn am dlodi, a cheisio dirnad sut bydd pobl Canol America yn dod i delerau gyda'u sefyllfa. Eisoes, mae sylw'r cyfryngau wedi mynd, mae pobl wedi gwneud eu rhan, a megis dechrau cyfri'r gost mae'r tlodion. Efallai eu bod wedi gallu rhoi rhywfaint o ddeunydd at ei gilydd i gael cysgod, ond brwydr i oroesi ydyw hi ar hyn o bryd, brwydr i gadw corff ac enaid ynghyd.

Un o'r pethau ddywedodd Johnny Hodgson o Nicaragua wrthym yn ystod ei ymweliad oedd fod pob ysgol yn un rhan o'r wlad wedi cau er mwyn cael ei throi yn ganolfan argyfwng.

Ystyr hyn yw fod addysg llawer iawn o blant wedi dod i ben yn barhaol.

Fe gymer flwyddyn go dda i ddod yn ôl i unrhyw fath o drefn addysgol gall, ac erbyn hynny, bydd sawl plentyn wedi colli unrhyw obaith o ail-afael yn eu haddysg.

A dyma'r meddwl yn dechrau dyfalu beth oedd cost tlodi ar lefel addysgol a diwylliannol. Wrth ystyried trychinebau, effaith y tlodi materol sy'n mynd a'n bryd fel rheol – diffyg bwyd a maeth, prinder cartrefi pwrpasol a gwasanaeth iechyd digonol.

Ond mae yna dlodi sy'n mynd yn ddyfnach, a hwnnw yw tlodi meddyliol. Un o ganlyniadau gwaethaf tlodi yw tlodi diwylliannol a ieithyddol.

Yn ystod fy ymweliad â Nicaragua, cefais enghraifft amlwg iawn o'r math hwn o dlodi, a hynny ar ynys fechan iawn Rama Cay. Ar yr ynys hon y mae llond llaw o lwyth y Rama yn byw. A dwi'n golygu llond llaw yn llythrennol, nid hanner miliwn fel ni'r Cymry Cymraeg.

Dim ond tua dwsin o bobl sy'n dal i siarad yr iaith Rama. Tra roedden ni ar yr ynys, anfonwyd neges i nôl un o'r brodorion hyn. Hen wraig oedrannus ddaeth atom, eisteddodd o'n blaenau ac yn araf iawn, dechreuodd lefaru rhai brawddegau yn yr iaith Rama.

Yn achlysurol, byddai'n ymweld â'r ysgol er mwyn i'r plant gael clywed peth o sŵn iaith eu cyndeidiau.

Roedd rhywbeth enbydus o drist yn y sefyllfa. Er nad oedd neb am gydnabod y ffaith, roedden ni'n dyst i un o'r bobl olaf i siarad yr iaith Rama. Mewn rhai blynyddoedd, bydd wedi diflannu oddi ar wyneb y byd am byth, ac yn rhan o'r hyn alwodd Waldo yn 'hen ieithoedd diflanedig'.

Mi fyddwn i wrth fy modd pe gellid adfer yr iaith Rama.

Mi garwn i ddychwelyd i Rama Cay a chael fy nghyfarch, nid gan hen wraig unig oedrannus, ond gan haid o blant swnllyd brwd yn parablu Rama. Ond pa obaith sydd am hynny pan nad oes arian i gael cyflenwad o ddŵr glân, heb sôn am gyflenwad o athrawon cymwys? Mae'n ddigon gwir mewn sawl argyfwng fod anghenion diwylliannol a ieithyddol yn dod ar waelod y rhestr.

Eto, wrth ymwneud â'r materion hyn, rydym yn ymwneud â'r pethau pwysicaf un.

Gwawriodd hyn arnaf wrth ddilyn stori un wraig go arbennig o Nicaragua. O'r holl luniau trist a ddaeth o'r wlad honno, wn i ddim pa un wnaeth yr argraff fwyaf arnoch chi. Ond wna i byth anghofio hanes anhygoel y wraig honno oedd yn dal yn fyw wedi chwe niwrnod ar rafft.

Collodd y wraig hon bopeth, ei chartref, ei heiddo a phob aelod o'i theulu gan gynnwys tri phlentyn. Canfu ei hun, ar rafft amrwd, yng nghanol y môr – am chwe dydd a chwe nos. Beth wnaeth hi yn ystod yr oriau meithion hynny? Canu. A dwi'n cael trafferth i gredu hynny. Ond dyna sut y goroesodd.

Canu caneuon ei llwyth a wnaeth, a dal ati i ganu tan iddi gael achubiaeth. Os bydd unrhyw un byth yn gofyn i mi beth yw pwysigrwydd diwylliant, byddaf yn ail-adrodd y stori hon iddynt.

Pan fyddwch wedi colli popeth arall o'ch eiddo, pan nad oes gennych hyd yn oed fwyd a diod i'ch cynnal, yr unig faeth y gallwch dynnu arno ydi caneuon eich pobl eich hun. Gall wneud y gwahaniaeth rhwng cadw pwyll a'i golli.

Oes, mae 'na dlodi cynddrwg â thlodi materol. Tlodi sy'n culhau meddyliau pobl, tlodi sy'n eu gwneud yn unffurf, tlodi sy'n tewi ieithoedd a thlodi sy'n rhoi cyffion ar ddiwylliant pobl a'u rhwystro rhag dawnsio.

Mae hwn yn y pen draw yn dlodi sy'n crebachu eneidiau.

Cadwn mewn cof felly wrth gyfrannu ein bod yn cyfrannu at ddileu y math hwn o dlodi yn ogystal â thlodi materol. Eisoes mae llawer gormod o enghreifftiau lle mae cwmnïau rhyngwladol nid yn unig yn gormesu pobl yn economaidd, ond hefyd yn ddiwylliannol. Mae diwylliant y Coca-Cola, fel y gelwir, ef yn sgubo drwy'n byd mor ffyrnig ag unrhyw gorwynt.

5 Rhagfyr, 1998

Hen dric go sâl ydi beio Duw

Fe'i hystyriwn hi'n fraint i gael gwrando arno. Mewn ystafell fechan yng Nghanolfan yr Esgobaeth ym Mangor yr oeddem, rhyw bump ar hugain wedi dod ynghyd i glywed beth oedd gan Johnny Hodgson i'w ddweud.

Byddai wedi bod yn siaradwr diddorol ar unrhyw adeg, ond yn ystod y cyfnod hwn, roedd yna arwyddocád arbennig i'w neges. Achos gŵr o Nicaragua yw Johnny Hodgson.

Gwelsom y lluniau digalon ar y teledu. Clywsom yr ystadegau torcalonnus am Nicaragua – 4,000 wedi marw, 7,000 ar goll, 750,000 yn ddi-gartref, gyda'r sefyllfa hyd yn oed yn waeth yn Honduras. Cawsom apêl am arian, a chlywsom adroddiadau gan ohebwyr am rai dyddiau. Ond ym Mangor y noson honno, dyma sylweddoli cymaint o wahaniaeth a wnai i gael clywed un fu'n llygad-dyst i'r sefyllfa, a oedd yn frodor o Nicaragua. Nid adroddiad gan newyddiadurwr mo hwn, ond cri o'r galon. Nid dweud oedd hwn, ond teimlo.

Bu Johnny yng Nghymru o'r blaen, ddeng mlynedd yn ôl. Newydd ddigwydd oedd Corwynt Joan bryd hynny, ac âi Johnny o gwmpas i sôn am ddifrod y corwynt. Y tro hwn, roedd wedi bwriadu sôn am bethau gwahanol, ond ychydig ddyddiau cyn iddo adael, trawodd Corwynt Mitch. Canfyddodd ei hun yng Nghymru yn ail-adrodd i bob pwrpas ei eiriau ar ei ymweliad blaenorol.

Roedd ei bobl yn dioddef ac roedd angen cymorth – a hynny ar frys. Soniodd fel y bu'n gyfrifol am dair mil o bobl y corwynt blaenorol, a sut yr achubwyd pob un ohonynt.

Bryd hynny, dan Lywodraeth Sandinistaidd, cafwyd rhybudd am y corwynt, a galluogodd hyn filoedd i baratoi eu hunain gan oroesi trychineb llawer gwaeth.

Y tro hwn, gyda Aleman wrth y llyw, yr arlywydd asgell dde, gwrthododd gyhoeddi stad o argyfwng, a wnaeth o ddim rhybuddio pobl y wlad.

Roedd yn drychineb arswydus, ond o gael rhybudd, byddai nifer y rhai gollodd eu bywydau gryn dipyn yn is. Y tro dwytha, derbyniwyd cymorth y Ciwbaniaid i ail-godi cartrefi. Y tro hwn, gwrthodwyd cynnig Ciwba i anfon doctoriaid i'r wlad. Mae Aleman yn dewis ei gynghreiriaid yn ofalus. O ganlyniad, ni chafodd Cymorth Cristnogol ganiatád i anfon eu llongau i Nicaragua, bu rhaid iddynt yn hytrach fynd i Honduras.

Dydi o ddim digon fod pobl Nicaragua wedi dioddef effeithiau'r corwynt, mae'n rhaid iddynt ddioddef arlywydd nad yw'n dymuno eu cynorthwyo.

Does gan Aleman fawr o ddiddordeb yn y rhai a ddioddefodd waethaf yn y corwynt, sef y tlotaf o'r tlodion. Wedi i'r glaw mawr ysgubo rhannau o orllewin y wlad, llifodd y dŵr i lawr afon y Rio Coco a'r Rio Grande yn y dwyrain gan beri i'r rhain orlifo eu glannau.

Ar lannau'r afonydd hyn, roedd pobl dlotaf y wlad yn ceisio cadw corff ac enaid ynghyd. Fe'u sgubwyd i ebargofiant.

Mae sawl stori ryfeddol wedi ei hadrodd wedi'r corwynt, ond yr un mwyaf rhyfeddol oedd yr un am y baban a ganfyddwyd mewn bocs. Yn wyrthiol roedd y baban yn dal yn fyw, ond roedd ei fam a'i deulu cyfan wedi trengi. Wyddai neb beth oedd ei enw, pwy ydoedd nac o ble y daeth. Mae cymuned o bobl wedi ei fabwysiadu ac wedi ei fedyddio yn Moses. Ond mae 'na rhywbeth chwedlonol o drist mewn plentyn yn tyfu heb unrhyw syniad i ba dylwyth mae'n perthyn.

Un peth a ŵyr pawb am y baban hwn a phob baban arall yn Nicaragua yw eu bod mewn dyled o ddydd eu geni. Mae pob plentyn yn Nicaragua yn cael ei eni gyda dyled o £800 o'r cychwyn cyntaf. Dyma'r arian fenthycwyd i'r gwledydd tlawd gan wledydd cyfoethog y byd, ac ers blynyddoedd, mae gwledydd y Trydydd Byd yn cael trafferth i dalu'r llôg yn ôl heb sôn am dalu'r ddyled.

Y maent yn gorfod rhoi blaenoriaeth i ad-dalu'r ddyled yn hytrach na gwario ar iechyd ac addysg i'w pobl eu hunain. Dyna pam mae Jiwbili 2000 yn ymgyrch ryngwladol i ddileu'r dyledion hyn unwaith ac am byth, er mwyn i'r gwledydd hyn gael cychwyn newydd.

Yn syth wedi'r corwynt, y peth cyntaf wnaeth Awstria, Ffrainc, Spaen, a Ciwba oedd dileu dyledion Nicaragua a Honduras iddynt. Dyw Prydain, yr Almaen, a'r Unol Daleithiau ddim yn teimlo mor hael.

Ond fel y nododd Johnny Hodgson, nid yw'n deg mynnu fod y bobl hyn gollodd bopeth, yn gorfod talu arian i gyfoethogion y byd.

'Y maent eisoes wedi talu'n ddrud,' meddai, 'maent wedi talu gyda'u bywydau.'

Wn i ddim amdanoch chi, ond cafodd fy ffydd i ysgytwad go hegar gyda Corwynt Mitch. Yr oedd y cwestiwn yn troi rownd a rownd yn fy mhen, pam ddaru Duw ganiatáu i rywbeth mor erchyll ddigwydd? Pam y collodd gymaint o bobl eu bywydau?

Bellach rwyf wedi cael fy ngoleuo beth. Hawdd iawn yw beio Duw pan mai ni'n hunain fel bodau dynol ddylai ysgwyddo'r baich.

Mynnwn fod Corwynt Mitch yn drychineb naturiol, tra'n gwybod yn burion mai ein cam-ddefnydd ni o'r blaned sy'n achosi i'r byd or-gynhesu. Cyn 1988, nid oedd corwynt tebyg wedi taro Canol America ers dros ganrif. Bellach, rydym yn dyst i ddau o fewn degawd. Yn ail, roedd rhai marwolaethau yn annorfod, ond bu farw llawer mwy o ganlyniad i esgeulustod llywodraeth asgell dde Nicaragua. Bydd cannoedd yn rhagor yn marw oherwydd diffyg safon byw digonol. A bydd miloedd mwy yn marw yn y dyfodol oherwydd baich y ddyled.

Pan mae holl allu technoleg yn pwyntio'r bys atom ni, hen dric gwael – ac un hynod ofergoelus – ydi ceisio rhoi y bai ar Dduw.

28 Tachwedd, 1998

Plannu hedyn gobaith yn 'anialwch' stâd Pen-rhys

Rydw i wrth fy modd efo 'nhŷ bach i. Dydi o ddim yn fawr iawn nac yn foethus, ond mae o'n fwy na tho uwch fy mhen. Mae o'n noddfa, yn gysgod, yn sicrwydd – yn sicrwydd a gymraf yn ganiataol. Bob tro y byddaf yn agor y drws ffrynt ac yn camu i mewn, rwy'n rhoi ochenaid o ryddhad – rydw i 'adref'. A does dim teimlad tebyg i'r teimlad cyfforddus hwnnw o ymlacio ar eich tomen eich hun. Yn fwy na hynny, gallaf ei addurno efo pethau cyfarwydd a phethau sy'n annwyl. Caf groesawu ffrindiau ar yr aelwyd, a chaf stwna yn y tipyn gardd tu allan. Pa stormydd bynnag sy'n fy mywyd, gwn fy mod yn saff yn fy nghartref.

Fedra i ddim dychmygu felly y syniad o rywun yn canu'r gloch, yn sefyll ar garreg y drws gyda ffurflen ac yn holi 'ydach chi'n dal eisiau byw yma?' gan wybod fod gan y person hwnnw y gallu i'm symud o'm cartref pa bryd bynnag y mynn. Ond dyna ddigwyddodd yn ddiweddar mewn stad o dai ger y Rhondda. Pan ddywedaf wrthych mai Pen-rhys oedd enw'r stad, falle na fydd rhai ohonoch yn synnu.

Hanes trist sydd 'na i Ben-rhys, un o fethiannau'r Chwedegau. Ar ddechrau'r Chwedegau, penderfynodd Cyngor y Rhondda adeiladu stad enfawr o dai cyngor i gartrefu glöwyr a gobeithio denu glöwyr o fannau eraill ym Mhrydain. Adeiladwyd bron i wyth gant o dai ar ben mynydd Pen-rhys, ymhell o'r pentref agosaf a chymunedau'r Rhondda. O'r cychwyn, bu'n fethiant eithriadol. Gyda'r diwydiant glo yn dirywio, roedd mwy a mwy yn canfod eu hunain yn ddi-waith, chafodd y tai erioed mo'u llenwi i gyd, cynyddodd fandaliaeth, ac o fewn dim, roedd gan Ben-rhys yr enw o fod yn lle 'anodd'. Tynnwyd rhai o'r tai i lawr, ac ynghanol yr Wythdegau, cawsant eu hail-addurno. Gan eu bod yn wag, cawsant eu fandaleiddio mewn dim. Ŵyr neb be yn iawn i wneud efo Pen-rhys. Mae teuluoedd wedi cael cynnig dwy fil o bunnau i adael, a'r bwriad yn y tymor hir yw tynnu'r lle i lawr. Y drafferth ydi fod y bobl leol eisiau aros. Mae rhai yn byw yno bellach ers dros chwarter canrif, ac am fagu eu plant yno. Cefais y cyfle i ymweld â'r lle yr wythnos dwytha, a thystio i waith yr eglwys yno. Bellach mae 90 y cant o'r trigolion yn ddi-waith; dau y cant o boblogaeth y Rhondda sy'n byw yno, ond maent yn gyfrifol am 40 y cant o waith y gwasanaethau cymdeithasol.

Dyma'r sefyllfa oedd yn wynebu John Morgans ddeng mlynedd yn ôl pan ddaeth yn weinidog i Ben-rhys a phenderfynu byw ar y stad ei hun. Deg oedd yn dod i'r gwasanaeth, a doedd y rhagolygon ddim yn dda. Ond penderfynodd John a'i wraig Norah weithredu Maniffesto'r Efengyl yno, ac mae pobl yn dal i ryfeddu at y canlyniadau. Gwelodd fod angen eglwys ar y stad, ac aethant o'i chwmpas i godi'r arian. Erbyn 1992, roedd bloc o fflatiau wedi eu troi yn eglwys, ac ar yr un safle mae caffi, siop bron-yn-newydd, lle i ofalu am blant, golchdy, stafell gerdd a stafell addysg. Mae 60 yn dod i'r gwasanaeth ar y Sul ac mae tri chwarter y plant dan bymtheg yn mynychu'r Ysgol Sul. Bellach, mae bedydd, priodasau ac angladdau yn cael eu gweinyddu yno. Mae Eglwys Llanfair wedi dod â bywyd newydd i stad sydd mewn dirfawr angen bendith. Yr un yw lefel diweithdra, prin yw diddordeb y cyngor lleol, mae llu o broblemau yn dal i fod, ond mae 'na hedyn gobaith wedi ei blannu.

Yr hyn sy'n ddiddorol yw mai capel rhyng-enwadol ydyw. Ni allai cymuned Pen-rhys fforddio ymrannu'n enwadau, felly rhoddodd gwahanol enwadau eu cefnogaeth i brosiect

Pen-rhys, yn Fedyddwyr, Wesleiaid, Methodistiaid, Annibynwyr, yr Eglwys yng Nghymru, a'r Eglwys Ddiwygiedig. Maent yn tynnu ar ysbrydoliaeth o wasanaethau myneich yr Ynys Bur, Teize ac Iona. Mae hyd yn oed yr Eglwys Uniongred ym Mlaenau Ffestiniog wedi cyfrannu icon i'r eglwys. Yr hyn mae Eglwys Llanfair wedi ei wneud yw dod yn berthnasol i fywydau'r bobl y mae'n ei gwasanaethu, ac mae hon yn wers bwysig inni i gyd.

Sylweddolodd John Morgans nad oedd gwasanaeth traddodiadol yn addas iawn i gynulleidfa fechan – mae disgwyl i lond llaw o bobl mewn oed ganu pedair emyn heb gyfeiliant yn ormod. Roedd y Beibl yn llyfr cwbl ddieithr i lawer o bobl Pen-rhys, doedd ganddyn nhw mo'r cefndir diwinyddol i allu gwrando ar bregeth hanner awr, fel y rhan fwyaf o bobl y genhedlaeth hon. Er hynny, roedd yna angen mawr yn eu bywydau, angen i ofyn, i ddiolch, i grefu maddeuant ac i roi moliant. Ar yr un pryd, roedd angen cadw urddas yr Eglwys a gwneud y lle yn fan cartrefol y byddai pobl yn hoffi ymgynnull yno. Mae holl wasanaethau'r wythnos wedi eu cynllunio i ateb y gofynion hyn ynghyd â gofynion ysbrydol a chymdeithasol y bobl.

Fyddai John Morgans ddim yn dymuno inni ddelfrydu Pen-rhys mewn unrhyw fodd, ond mae'n sicr yn lle i'n hysbrydoli ni yng Nghymru'r Nawdegau. Ac yn ystod yr Wythnos Gartrefu Genedlaethol, mae'n werth inni holi o ddifri beth allwn ni ei wneud i bwyso ar y Llywodraeth i gychwyn rhaglen gartrefu ddwys. Fe all yr eglwysi wneud eu rhan i gynorthwyo, ond mae dyletswydd moesol ar y Llywodraeth gychwyn ar y dasg enfawr o godi'r 11,000 o dai y flwyddyn y mae Cymru ei angen i gartrefu ei phobl. Wedi'r cyfan, mae gan bawb yr hawl sylfaenol i gartref a'r sicrwydd y mae hynny'n ei gynnig.

7 Mehefin, 1997

Cystal rheswm â'r un dros gynnal te parti...

Pan fydda i'n meddwl am Gyfarfod Pregethu, llewys byr, suo gwenyn a haul crasboeth ddaw i'm meddwl, gan ei fod yn cael ei gynnal ddechrau'r Haf.

Nid felly roedd hi eleni. Gafaelai pawb yn dynn yn eu cotiau, roedd yr awyr yn llwyd ac roedd hi'n dechrau bwrw.

Ar ddydd Iau y cynhelir ein Cwarfod Pregethu ni – yn ystod yr wythnos gyntaf neu'r ail o Fehefin. Mae sawl capel wedi symud yr achlysur hwn i gyd-fynd â'r Sul, ond rhai cyndyn i symud efo'r oes ydi Wesleaid Ty'n Lôn.

Mae meddylfryd y capel – fel yr adeilad – wedi ei neilltuo oddi wrth y brif ffrwd. Capel neilltuedig ydi o, y cafodd sawl pregethwr hwyr drafferth i ddod o hyd iddo! Os ydych chi'n rhuthro drwy Lanwnda i gyfeiriad Glynllifon, mae'n hawdd i chi beidio sylwi ar Fethesda Bach a'r arwydd yn y clawdd sy'n eich cyfeirio i Dy'n Lôn. Wrth fynd i fyny'r lôn fechan, rydych yn ymwybodol eich bod yn gadael dwndwr y byd mawr tu ôl i chi, ac rydych yn canfod noddfa dawelach. Falle 'mod i'n teimlo hyn yn gryfach gan mai dim ond ar ddydd Sul fyddai'n mynd yno. Ond mae'n anodd gen i feddwl am Dy'n Lôn ar frys hyd yn oed ar ddiwrnod gwaith. Mi groesodd iâr ar draws y ffordd ar ddiwrnod y cyfarfod pregethu ac edrychodd arnaf yn hurt. Synnai at fy hyfdra yn meddwl fod gan geir fwy o hawl ar y ffordd na da pluog.

Ar ddiwrnod Cwarfod Pregethu, mae yna gynnwrf annisgwyl yn y capel – y Tŷ-yn-y-Lôn gwreiddiol, debyg gen i. Mae'r festri yn troi yn gegin wrth i'r boiler gael ei gario i'r tu blaen, a symudir y Beibl i wneud lle i rywun baratoi bara menyn. Ar y piano, mae plateidiau yn gyforiog o gacennau a sgons, ac mae powlenni sy'n eithriadol o hen yn cael eu llenwi â jam a siwgr. Caiff y llestri ddod o'r cwpwrdd am y tro cyntaf ers llynedd; troir yr hen feinciau yn fyrddau hir, ac ymhen hir a hwyr mae popeth yn barod. Tase hi'n wledd ar gyfer y Pum Mil, fydde 'na ddim mwy o ffwdan.

Llond dwrn ohonom ddaw i'r capel fel rheol. Os byddwn ni'n ffodus, cawn ffigwr dwbwl mewn oedfa. Ond adeg Cwarfod Pregethu, mae pethau'n wahanol. Mae'r posteri a'r cyhoeddiadau wedi eu hanfon. Mae'r capel wedi ei atgyweirio a'i llnau nes ei fod yn sgleinio. Mae'r Sêt Fawr yn garnifal o liwiau blodau. Mi gawn ni'r hyfdra o rywle i fynd yn ein ceir a chodi Wesleaid a Chenedl Ddynion o lefydd mor bell â Phen-y-groes a Chaernarfon. Mae yna deimlad gwahanol i gapel hanner llawn (o'i gymharu ag un sydd bron yn wag). Tydi'r hen bobl ddim yn blino dweud cymaint gwell oedd pethau Ers Talwm pan fydden nhw'n cario meinciau i gyfarfodydd pregethu fyddai'n para am ddeuddydd, ond mi all hanner llond capel fy modloni i. Mae'r gynulleidfa yn nes at ei gilydd, ac felly'n gynhesach. Mae yna well canu o'r hanner.

Dwy bregeth gawn ni – un yn y pnawn ac un yn y nos – a the yn y canol. Mi fyddwn ni wedi dewis pregethwr fisoedd ynghynt – un a blesiodd yn arbennig mewn oedfa flaenorol, neu bregethwr da yr ydyn ni wedi bod yn ceisio ei gael ers blynyddoedd ond ei fod wedi methu dod. Fel rheol, cawn bregethwr gwerth chweil a bydd pawb wedi ei blesio. Falle gwelith y Wesleaid y ganrif nesaf wedi'r cwbwl…

Amser te ydi fy hoff amser i. Mi allwch gael sawl pregeth mewn blwyddyn; unwaith y flwyddyn y cewch chi De Cwarfod Pregethu. Mae yna rywbeth clên iawn mewn gweld llond dau fwrdd o bobl yn dod at ei gilydd i fwyta wedi oedfa a sgwrsio uwch ben pethau mor gyffredin â phaned o de a sgonsan. Falle mai'r atgofion sy'n gyfrifol, ond mae pawb yn cytuno fod gwell blas ar bopeth mewn festri. Mae'r bara yn fwy ffres, y menyn yn fenyn go iawn, a'r jam a'r cacennau wedi eu gwneud gartref.

Bob blwyddyn, mae yna rai o amgylch y bwrdd yn absennol. Miss Edwards oedd fwyaf amlwg yn ei habsenoldeb eleni. Mi chwaraeodd yr organ i ni yn Nhy'n Lôn a Chapel Glan-rhyd am drigain o flynyddoedd, ac os nad ydi hynny'n wasanaeth i'ch cymuned, wn i ddim beth sydd. Mae yna elfen o hiraeth yn gymysg â'r dathlu felly, ond mae yna lawenydd fod cymaint wedi dod ynghyd. Mi fydd pawb yn sgwrsio am hir wedi'r te, wedyn yn picio adref, a phawb yn cael cyfle i adnewyddu ar gyfer oedfa'r nos. Ambell waith, bydd rhywbeth anghyffredin yn digwydd i'w gwneud yn flwyddyn gofiadwy. Ar ddiwrnod Cyfarfod Pregethu y ganed Dafydd Wyn – wrth ei weld yn yr oedfa eleni roedden ni'n synnu fod pedair blynedd wedi mynd heibio ers y dydd Iau hwnnw.

Wedi oedfa'r nos, ceir ochenaid o ryddhad o gyfeiriad 'y Chwiorydd'. Mae'r llestri wedi golchi, popeth wedi ei gadw a theimlad eu bod wedi cyflawni'r orchwyl eleni eto. 'Dyna hwnna drosodd am flwyddyn eto,' meddai'r wraig yr oeddwn i'n ei hebrwng adref.

Ia – dyna hwnna drosodd – fyddai'n llawer haws ei symud i'r Sul. Byddai'n haws cynnal un oedfa yn unig. Mi fyddai'n llai o ffwdan anghofio'r te gan ddweud fod pawb wedi mynd yn rhy hen. Mi fyddai'n fwy hwylus i beidio cynnal Cyfarfod Pregethu. Mi fyddai'n haws byth cau'r capel yn gyfangwbl gyda'r esgus mai dim ond llond dwrn oedd yn dod.

Ond dydi o ddim wedi digwydd. Mae'r drysau yn dal ar agor, ac mae croeso i'r neb a fynno ymuno yn yr oedfa bob dydd Sul. Mae hynna'n gystal rheswm â'r un dros gynnal te parti…

18 Mehefin, 1994

Melltithio'r bardd a'm hudodd i ddinas enbyd y tlodi a'r trais

Ddylai rhywun ddim gadael i feirdd gael y fath ddylanwad arnynt. Dan fy ngwynt, ro'n i'n melltithio T H Parry-Williams. Ar ei gownt o ro'n i wedi trefnu i ymweld â Rio, a nawr ro'n i ar y bws yn wynebu'r daith bump awr yno.

'Rio de Janeiro – cadwch draw' oedd rhybudd y llyfrau taith. 'Ac eithrio Colombia, Brasil yw'r wlad fwya treisiol yn y byd. Mae ei lladron yn lladd. Mewn dinas fel Rio, twristiaid yw'r targed poblogaidd. Cyfeirir atynt fel *rare steak*. Yn y tair blynedd diwethaf, gostyngodd nifer yr ymwelwyr yno o 30 y cant.'

Dydw i ddim yn gall. Y peth gorau fyddai i mi anelu at y maes awyr a chymryd yr awyren gyntaf adre. '... Yn Rio mae un rhan o dair o'r bobl yn byw mewn slymiau. Does dim addysg, dim gwaith, dim meddygon. Mae cyffuriau a thrais yn rhemp. Does dim cyfraith a threfn yno...'

Stopiodd y bws ar gyrion y ddinas lle safai milwr mewn balaclafa yn dal ei wn yn fygythiol. Daeth milwr arfog ar y bws ac archwilio ein bagiau gyda *metal detectors*. Does dim byd tebyg i groeso'r fyddin yn Rio.

Wrth ddod oddi ar y bws yng nghanol y ddinas, dydw i ddim yn cofio profi'r fath ofn. Unrhyw funud, ro'n i'n disgwyl i rywun neidio ar ein cefnau ac agor ein bagiau gyda chyllyll cyn ein trywannu. Mewn gwres o 37 gradd, dyma ddechrau chwilio am lety, a dyna pryd y bûm yn dyst i'r tlodi. Dyna lle y gwelais – yn llythrennol – ddwy haen o gymdeithas. Roedd un haen yn foethus eu gwisg yn gogordroi o flaen ffenestri'r siopau gorllewinol. Roedd yr haen arall ar y palmant yn gwerthu beth bynnag oedd ganddynt – cnau, watsys, ffrwythau, trugareddau plastig, cynnig llnau sgidiau, trwsio pethau, gwerthu papur newydd, bara, sigaréts...

Ar eu heistedd roedd y rhai mwy truenus fyth. Gwelais fam wrth un stondin yn ceisio bwydo ei phlentyn o'r fron. Eisteddai gŵr arall gyda phowlen blastig o'i flaen yn dal ei ddwylo diwerth gan geisio ennyn trugaredd y rhai a ai heibio. Y stondin fwya diwerth a welais oedd mat gyda sgidiau ail-law arno, hen gylchgronau a darnau o beipen a metel. Edrychais ar y perchennog. Chwarae siop bach oedd o, mae'n rhaid. Fe wyddai ef yn well na neb nad oedd ganddo'r gobaith lleiaf o'u gwerthu. Oedd hon yn ymdrech dila i gadw hunan-barch?

Teimlad anghysurus a dweud y lleiaf oedd cael ymgeledd mewn gwesty, a dyn yn cario fy magiau ac yn cloi fy arian mewn *safe*. Mor hawdd yw bod yn ddiogel pan allwch fforddio hynny.

Yn y bore, dyma gael *car-cable* i ben y Pao de Aeucar (mynydd y Sugar Loaf) lle ceir golygfa wefreiddiol o Rio. Eisteddais yno am ddwy awr yn gwylio'r fwlturiaid yn hofran yn ddiog ac yn ddi-hid o'r drygioni oddi tanynt. Yn y pellter roedd y cerflun enwog o Cristo Redentor a'i ddwylo ar led, a ddathlai annibyniaeth Brasil oddi wrth Bortiwgal. Ond ysu i gael mynd draw at y cei oeddwn i.

Tua pump o'r gloch y prynhawn oedd hi, a'r glaw yn disgyn yn ddiog wrth inni fynd at y cwch anferth a groesai o gei Rio i Niteroi.

Dyna pryd y'i gwelais – merch ar ei phen ei hun, mewn gwisg goch a smotiau gwyn, yn edrych ar y dŵr. Ni chymrai sylw o unrhyw un arall o'i chwmpas, roedd hi'n llawn o'i myfyrdodau ei hun tra'n edrych allan ar y môr mawr llwyd. Ni allwn dynnu fy llygaid oddi arni. Ai duwies ydoedd, ai ysbryd? Ai hi a safodd yno drigain mlynedd ynghynt yn swyno Parry-Williams i ganu?

> Efallai ei bod wedi bod ryw dro
> I rywun yn Lili neu Lio;
> Erbyn hyn nid oedd neb – nid ydoedd ond pawb
> I'r ferch ar y cei yn Rio.

Ceisiais dynnu ei llun, ond yn araf synhwyrodd y ferch ei bod yn destun rhyfeddod, a thrôdd ymaith. Diau ei bod yn meddwl 'mod i'n berson go amheus, ond doedd dim ots gen i – cefais weld yr hyn y deuthum i chwilio amdano.

Wedi'r prynhawn hwnnw, ni pheidiodd y glaw. Agorodd y nefoedd a gwlychwyd pawb yn domen. Roedd hi'n amser mynd adre. Ond diwrnod o ryfeddodau a chael ein hatgoffa o Gymru oedd hi. Pan edrychais ar y teledu y noson honno, dyna sioc oedd clywed Cymraeg, a llun o Gwynfor Evans yn siarad! Ie'n wir, rhaglen ar Gymru ydoedd. Syllais mewn rhyfeddod ar Dafydd Iwan yn canu 'Pam fod eira'n wyn' a cheisio argyhoeddi fy hun fod Môr yr Iwerydd rhyngof fi a'r diwylliant hwn.

Y bore olaf, dyma agor y papurau a gweld y penawdau. Roedd y fyddin wedi symud i ardal y slymiau yn Rio y diwrnod cynt. Roedd lluniau dramatig o'r milwyr arfog yn rhuthro drwy'r strydoedd ac yn llusgo pobl o'u cytiau. Y diwrnod cynt… tra roedden ni yn edrych o ben y mynydd, doedden ni fawr o feddwl am y cynnwrf a ddigwyddai ar strydoedd y ddinas gythryblus hon.

Roedden ni yn perthyn i fyd gwahanol. Byd y rhai allai fforddio teithio, byd y rhai allai fforddio rhyfeddu at olygfeydd, at gerddi beirdd, at swyn y dieithr. Dan y bocsys carbord yn Rio, mae yna wehilion cymdeithas yn byw mewn tlodi na allwn ni mo'i amgyffred. Diolch byth 'mod i'n medru dianc oddi wrthynt.

14 Ionawr, 1995

Un dringwr arall wedi dod
i ddiwedd anffodus

Mynd am dro yn y mynyddoedd ar ei ben ei hun a wnaeth, a
disgyn. Ŵyr neb am ba hyd y bu'n gorwedd yno, ond yn
nhawelwch yr uchelfannau y bu farw, a'r rhew fu ei unig amdo.

Ar Fedi 19, 1991, daeth dau gerddwr heibio a sylwi ar ei
benglog. Wedi cysylltu â'r gwasanaeth argyfwng, daeth
helicopter i'r fan a thorri'r rhew i godi'r corff.

Un dringwr arall wedi dod i ddiwedd anffodus oedd o
iddynt hwy, er ei fod yn amlwg ei fod wedi trengi ers tro byd.

Dim ond wedi i'w gorff ddechrau dadmer y sylweddolodd
rhai arbenigwyr pa mor wirioneddol hen ydoedd. Dim
dringwr o ddechrau'r ganrif oedd o – roedd hwn wedi marw
ers 5,500 o flynyddoedd.

Yr eiliad y dechreuodd ddadmer, yr oedd 'Otzi' fel y'i
galwyd mewn mwy o berygl nag y bu ers dydd ei dranc. Yr
oedd ei gorff a gadwyd gyhyd mewn cyflwr perffaith gan rew
yn dechrau pydru.

Fe'i cymrwyd o fynyddoedd De Tyrol i un o brifysgolion
yr Eidal iddynt wneud arbrofion arno.

Gyda gwyrthiau gwyddoniaeth fodern, yr oedd modd rhoi
megin yn ei sgyfaint a'i phwmpio. Cafwyd gweddillion ei
bryd olaf yn ei ymasgaroedd. Yr oedd ei esgyrn i gyd yn
gyfan, a'i ddillad mewn cyflwr neilltuol. Yr oedd y gwellt yn
dal yn ei esgidiau.

Yr oedd un o ddarganfyddiadau archeolegol mwyaf yr
Ugeinfed Ganrif wedi ei ganfod. Cafodd Otzi ei rewi drachefn
a'i arddangos i'r cyhoedd.

Yn nhref Boizano/Bozen, ar y ffin rhwng yr Eidal ac

Awstria, bûm yn sefyll mewn ciw i gael gweld Otzi, neu Frozen Fritz fel y cyfeirir ato gan yr ymwelwyr.

Ym mhen pellaf yr ystafell yr oedd wal haearn y rhewgell a ffenest fechan i edrych drwyddi. Tu hwnt i hon yr oedd bedd terfynol Otzi.

Wedi iddo gael ei guddio ym mhreifatrwydd y mynyddoedd ers tair mil a hanner o flynyddoedd cyn Oes Crist hyd yn oed, yr oedd yn awr yn cael ei arddangos i'r byd a'r betws.

Gyda theimladau cymysg y bûm yn aros fy nhro. Doeddwn i erioed wedi edrych i mewn i arch neb o'r blaen. Doedd treigl y blynyddoedd ddim yn gwneud yr 'arch' hon yn llai cysygredig.

Yn y diwedd cefais fy nghyfle i edrych drwy'r ffenest a rhoddais ochenaid fechan. Mor falch ydoedd, mor noeth, mor fregus. Nid yw ei groen bellach ond lledr brau, ond yr hyn a'm dychrynodd oedd y don o dosturi a deimlais.

Bu hwn unwaith yn gorff cyhyrog heini, bu'n chwerthin, anadlu a theimlo i'r byw – fel minnau. Gwelodd, aroglodd, blasodd – fel minnau, a nawr doedd o ddim amgen na hyn.

Cerdd Waldo am sgerbwd y ferch ifanc ddaeth i'm cof. Pan ddown wyneb yn wyneb â darganfyddiadau fel hyn, profwn y sobrwydd eithaf a daw ofnau cyntefig iawn i'r wyneb. Yn gymysg a'r ofn hwn, teimlir rhyfeddod – at drefn lle mae dynoliaeth yn gallu cael cip ar orffennol pell.

Ysbienddrych yw Otzi ar un wedd – cyfrwng i ddangos inni mewn modd graffig iawn, sut oedd pobl yn byw yn Oes yr Iâ. Nes darganfod bwyell gopr Otzi, nid oedd archeolegwyr yn ymwybodol fod pobl y cyfnod hwn yn gallu trin copr.

Mae'n werth teithio i Bozen i weld y rhyfeddod hwn yn unig, ond mae'n dref ddifyr ar wahân i hynny. Er eich bod yn yr Eidal, *gute morgen* yw'r cyfarchiad, a pheidiwch a disgwyl pasta i ginio. Bwyd Awstraidd a gynigir, dillad Awstraidd a wisgir a iaith Awstria sydd i'w chlywed.

Awstria oedd fan hyn cyn i wleidyddion ei roddi i'r Eidal mewn bargen wedi'r Rhyfel Byd Cyntaf. Anwybyddodd y bobl leol y fargen a pharhau i fyw fel y gwnaeth eu tadau a'u teidiau.

Bu adwaith chwyrn. Rhoddwyd yr enw Eidaleg Bolzano ar y dref a gwaharddwyd yr iaith Almaeneg. Gymaint oedd y casineb fel y dilewyd enwau Awstraidd oedd ar gerrig beddi. Pan gododd Mussolini i rym, rhoddodd ei stamp unigryw ar y dref. I benseiri, mae'r dref yn amgueddfa yn ei hun.

Tra bod digon o dai yn nhraddodiad gothig y Canol Oesoedd i dynnu sylw ymwelwyr ac i ddenu arlunwyr, mae casgliad unigryw o bensaernïaeth tridegau'r Ugeinfed Ganrif yn dal i sefyll.

Wedi'r cytundeb ym 1918, cafwyd polisi Ffasgaidd o droi Bozen yn Eidalaidd. Tyfodd y boblogaeth o ugain mil i gan mil. Y pensaer a ddewiswyd gan Mussolini oedd Marcello Piacentini, ac fe dalodd hwn wrogaeth i Il Duce.

Ar hen bencadlys y Ffasgwyr mae cerflun 'Buddugoliaeth Mussolini' i'w weld – yr unig ddelwedd o'r Unben sydd wedi goroesi yn Yr Eidal.

Y gofeb fwyaf trawiadol yw'r horwth o borth sydd i fod i ddynodi pen draw gorllewinol yr Ymerodraeth. Mae'r *Monumento alla Vittoria* wedi bod yn darged cyson gan y bobl leol, gyda mwy nag un ymdrech aflwyddiannus i'w ffrwydro. Bellach, mae ffens o'i amgylch a chwyn yn tyfu rhwng y cerrig.

Oherwydd fy niffyg Almaeneg, methais a chael sgwrs gydag unrhyw un o'r trigolion lleol, ond dwi'n amau a oedd unrhyw un ohonynt eisiau trafod gwleidyddiaeth y penwythnos y buom ni yno.

Yn ddiarwybod inni, roeddem wedi dod i aros yn y dref yn ystod eu 'Spectaculum 2000' – gŵyl Ganol Oesol a gynhelir pob dwy flynedd.

Diffoddwyd lampau'r stryd ac yng ngolau cannwyll y gosodwyd stondinau. Mewn amrantiad, yr oedd y bobl leol i gyd wedi eu gwisgo mewn dillad Canol Oesol.

Diflannodd y liras, doedd dim modd prynu dim heb eich bod yn cyfnewid yr arian Eidalaidd am 'bolzen'.

Trois fy mhen i glywed band yn dod i lawr y stryd. Yn eu dillad lliwgar, dyna lle roedden nhw'n curo drymiau, chwythu trwmpedi, a seinio ffliwt. Yr oedd yna rialtwch mawr a'r llanc ar y tu blaen yn llowcio petrol ac yn chwythu tân. (Tawn i'n gwybod am yr argyfwng adref byddwn wedi cipio ei gyflenwad.)

Cawsom ein sugno gan faint y dorf a symud yn un haid i sgwâr y dref. Yno, ar lwyfan, y gwelais y sioe fud orau ers tro. Ar ffyn, yr oedd y cymeriadau yn ddwbl eu maint, roedd adar pluog yn cuddio tu ôl i fasgiau dychrynllyd, merched hardd a diafol yn ceisio cael y gorau ohonynt.

Wrth i'r dorf wasgu, wrth i fflamau cael eu chwythu, wrth i'r caddug gau amdanom, profais beth o arswyd yr oesoedd tywyll hynny pan oedd ofergoel yn drech na rheswm. Edrychais o'm cwmpas i weld unrhyw arlliw o'r Unfed Ganrif ar Hugain, ond diflannodd.

Un o bleserau mwyaf gwyliau yw dod ar draws tref fel Bozen. Chlywais i neb yn sôn amdani o'r blaen, na'r un catalog gwyliau yn canu ei chlodydd.

Ond yno, yn swatio wrth droed y Dolomites, y mae croeso cynnes i'r sawl sydd am ei gweld. Rhywsut yr oedd taro arni yn ddiarwybod yng nghornel yr hyn a dybiwn i oedd yn 'Eidal' yn llawer mwy o ryfeddod.

23 Medi, 2000

'Pererindod dydd calan'

Amser rhyfedd ydi'r Calan.

Ŵyr neb yn iawn lle i fod nac efo pwy. Mae'r Nadolig yn
haws, mae disgwyl i chi fod mewn lle penodol efo pobl
benodol. Dyw'r fath reolau ddim yn bod efo'r Calan, a rhaid
i chi greu eich difyrrwch eich hun. Canfyddais fy hun mewn
car yn teithio tua Sir Benfro, heb syniad beth oedd o'm
blaen. Ar y ffordd, dyma alw yn Nhalgarreg i groesawu
Heledd Gwennog a gyrhaeddodd i'r byd ychydig ddyddiau
cyn y Nadolig. Mi freuddwydiais yn aml am gael curo drws
Tŷ'r Ysgol i gyfarch dyfodiad baban, ond rhois y gorau i
obeithio. Noson ola'r flwyddyn, dyma weld gwireddu'r
freuddwyd. Cefais afael yn y bwndel bach o fodlonrwydd a
theimlo gwefr. Ydi, mae gwyrthiau'n gallu digwydd.

Aethom ymlaen â'n taith a chroesi ffin i'r Preselau. Codi
cyfaill yn Blaenffos, ac ymlaen i Drefdraeth i'r Llew Aur, lle
roedd mwyn gyfeillion wedi dod ynghyd. Roedd yna griw o
hipis llai mwyn wrth ein hymyl yn cystadlu am le wrth y tân,
fel y cewch chi mewn lle o'r fath, ond mi lwyddon ni i ganu'n
uwch na nhw a gwneud ein presenoldeb yn amlwg. Mewn
hwyliau da, mi groesawon ni'r flwyddyn newydd, diffodd y
teledu a bloeddio 'Er Mwyn yr Amser Gynt' i gystadlu â'r
'Auld Lang Syne'. Hir fu'r sgwrsio a'r cyfeddach, ac roedd
hi'n bedwar y bore arnom yn ymlwybro i'n gwlâu. Do, bu'r
Llew yn wresog ei groeso.

Yn y bore wedyn, wedi brecwast harti, dyma gerdded i
lawr at y 'Miarts', dilyn yr afon ac o gwmpas pentref hyfryd
Trefdraeth. Lot o hen bobl, lot o Saesneg, lot o dai gwag a

thai haf, ond mae o'n dal yn llecyn bendigedig.

Gan ddymuno parhau'r gwmnïaeth, dyma lond car ohonom yn mynd i gyfeiriad Crymych a dringo tua Foel Drigarn. Yno, yn y lle godidog hwnnw mae cofeb Waldo, 'Mur fy mebyd, Foel Drigarn, Carn Gyfrwy, Tal Mynydd, Wrth fy nghefn ymhob annibyniaeth barn.' Roedd o'n lle da i gychwyn blwyddyn.

Cymaint o lanast, o drais, o dwyll a chynnen sy'n y byd. Cymaint o flerwch sydd yn ein bywydau a'n perthynas â'n gilydd. Pethau mor wael ydyn ni i gyd nes peri inni anobeithio. Dyma ydi'r rhemp sydd yn llaw'r dad-elfennwr, ac mor hawdd yw gadael iddo'n llethu. Mae yna gyfryngau effeithiol modern ymhob cartref bellach i arllwys ofn, celwydd a rhagrith i'n bywydau. Mae yna ffyrdd mor sydyn o ledaenu anobaith. Down i ddygymod ag edrych ar y byd drwy lygaid eraill – pobl sydd am ddylanwadu arnom, pobl sydd am ddweud wrthym beth i gredu, beth i feddwl, beth i'w gasáu. Pobl sy'n mynnu gwerthu pethau inni, pobl sy'n mynnu ein bod yn byw mewn ffordd arbennig, yn dweud wrthym sut i wisgo a sut i ymddwyn. Pobl ddi-wyneb sy'n ein gorfodi i gwrdd â safonau penodedig ac sy'n ein labelu fel methiant os syrthiwn yn fyr o'r safonau hynny. Mor anodd yw dianc rhagddynt, ac mae eu gafael arnom mor gryf.

Wrth gofeb syml Waldo, cafwyd gorffwys. Mae'n bererindod gwerth ei gwneud, yn enwedig ar ddechrau blwyddyn, yn enwedig yng nghwmni rhai annwyl. Llwyddodd Waldo i'w fynegi mewn geiriau, y rhin cyfrin hwnnw sydd i'w gael mewn cymdeithas ac mewn cymundeb â'r tir. Hwnnw na chaiff byth ei hysbysebu gan nad oes gwerth masnachol iddo. Hwnnw na ellir ei ddwyn gan nad oes iddo berchennog. Hwnnw na ellir ei ffugio gan fod yn rhaid iddo fod yn ddidwyll. Hwnnw y galwodd Waldo yn 'adnabod'.

Mae o mor amwys, eto mae gennym oll brofiad ohono. Ceir cip arno mewn gwên, mewn cyfarchiad, mewn cyffyrddiad. Anaml y soniwn amdano a hawdd yw ei gymryd yn ganiataol. Eto, mi wyddom yn iawn pan brofwn ni o, ac mi wyddwn o'r gorau pan gollwn afael arno. Gwarchod hwn yw gwarchod gwareiddiad. Ei brofi sy'n rhoi ystyr i'n bod.

Daethom i lawr o'r mynydd, Sian ac Elwyn, Arwel, Morys a mi. Roedden ni'n ffrindiau, yn gytûn, roedd hi'n Galan, ac yn llawn gobaith. Trôdd cofeb Waldo yn garreg filltir. Daethom cyn belled â hyn, ac roeddem yn cychwyn blwyddyn arall heb golli nabod ar ein gilydd. Y pnawn hwnnw, yng nghwmni rheina, teimlais y gobaith a all oresgyn popeth. Blwyddyn newydd dda i chi.

3 Ionawr, 1994

Bisgedi, Beibl, a Dameg y Chwilen yn ei gwneud yn noson i'w chofio

Blwyddyn Newydd Dda i chi. Dyna'r Syrcas yna ar ben, ac ni welodd y byd ffasiwn syrcas erioed.

Yr oedd dydd olaf 1999 yn un o'r dyddiau rhyfeddaf i mi fyw drwyddynt. Ddigwyddodd dim. Alwodd neb. Eto, yr oedd y teimlad cryf hwn fod rhywbeth mawr yn MYND i ddigwydd.

Tua chwech o'r gloch y noson honno, ro'n i'n dal i eistedd ar fy soffa yn ceisio dyfalu sut byddwn i'n cyfarch y flwyddyn newydd.

Yr unig beth ro'n i wedi ei brynu oedd tun bisgedi anferth aur o Tesco efo llun cloc mawr arno a 'Time to Celebrate'.

Dychmygwn fy hun yn 90 oed yn cadw fy mhethau gwnïo ynddo ac yn egluro i'm wyres fach am y noson fawr honno ar drothwy'r mileniwm... Os cafodd fy neiniau i y fraint o gadw mygiau efo llun brenhinoedd coronog arnynt, siawns nag oedd gen innau fy hawl i'm tipyn tun.

Tua naw o'r gloch, ymlwybrais i lawr Ffordd yr Orsaf, Llanrug, lle roedd y pentrefwyr yno wedi bod ddigon hirben i drefnu rhywbeth. Yr oedd eu dathliadau hwy wedi cychwyn ers hanner dydd, a'r cynllun oedd mynd o gwmpas hanner dwsin o dai yn y pentref gan ddathlu dyfodiad y Mileniwm i wahanol wledydd.

Un o'r gloch yn Awstralia, tri o'r gloch yn Andalucia, pump yn China ac erbyn i mi gyrraedd Treforfa, roedd fan'no yn cynrychioli Ciwba.

Dim ond yn ddiweddarach y deallodd pawb mai Ciwba oedd yr unig wlad yn y byd NAD oedd yn dathlu dyfodiad y

Mileniwm. Ta waeth, yr oedd bwyd Caribïaidd yn cael ei rannu'n hael a phawb mewn hwyliau da.

Tua un-ar-ddeg, agorodd y drws a daeth neidr fawr o ryw ugain o bobl i mewn, pob un gyda masg a chwiban, i ddawnsio i ben eithaf y gegin, a dawnsio'n ôl allan drwy'r drws ffrynt. Oedd yr oedd yn bendant yn noson wahanol.

Hanner awr cyn trawiad tyngedfennol y cloc, aethom draw i Gapel Brynrodyn, lle roedd gwasanaeth byr yn cael ei gynnal. Dwi'n meddwl mai dyna'r tro cyntaf i mi eistedd mewn sedd capel a chael rhywun yn rhoi paned o de a bisged yn fy llaw!

Cawsom emyn a darlleniad ac wrth i fysedd y cloc gyrraedd hanner nos, cawsom amser tawel i fyfyrio gyda cherddoriaeth syml yn gefndir a channwyll wedi ei goleuo o flaen Beibl.

Pan ddaeth yr awr, trodd pawb i gyfarch ei gilydd, ac wedi i Jim Clark ledio emyn i gyfeiliant gitâr, daeth y gwasanaeth i ben i sŵn tân gwyllt y tu allan.

Oedd, yr oedd yn noson wahanol, ond ro'n i'n ddiolchgar am yr hafan dawel honno yn Brynrodyn i fyfyrio ar yr hyn oedd yn digwydd.

Yn ceisio dygymod â'r ffaith fod y Peth wedi digwydd, dyma ymlwybro yn ôl gartref, ond yr oeddem yn dal yn y byd ffantasi. Achos ar garreg y drws, dyna lle roedd pobl Drws Nesa efo gwydrau o siampên yn edmygu'r coelcerthi a'r rocedi oedd yn goleuo'r awyr.

Yr oedd y cynnwrf yn dal i'w deimlo yn y gwynt, a dyma benderfynu cael peth cwsg cyn codi i weld y wawr yn torri.

Dydi traeth Borth-y-gest am hanner awr wedi saith ddydd Calan mo'r lle mwyaf cynhyrfus, ond yno, yn sŵn adar y môr y gwelsom yr hen ddefod o'r tywyllwch yn cilio i wneud lle i haul y bore.

Dringo wedyn yn y car i gyfeiriad Cwm Stradllyn a chael ein rhyfeddu gan harddwch yr olygfa. Oddi tanom, yr oedd niwl y bore wedi lapio ei hun dros Borthmadog, ac yn codi yn bendefigaidd lwyd uwch ben pawb yr oedd siap digamsyniol y Cnicht.

Mi gofia i noson y Mileniwm. Y diwrnod wedyn ar y teledu cawsom weld sut oedd gweddill y byd wedi dathlu – pob prifddinas yn y byd yn ceisio cael y gorau ar y gweddill drwy losgi gwerth miliynau o bunnau ar ffurf tân gwyllt.

Cytunai pawb fod Sydney wedi cynnig sioe gwerth chweil, ond fy ffefryn i oedd y cip a gefais ar seremoni dathlu'r lleuad ddigwyddodd yn Periw. Tra roedd pawb arall yn addoli dyfodiad yr haul, yr oedd y syniad o glodfori'r lleuad yn un digon gwreiddiol.

Y diwrnod canlynol, yr oedd pawb wrthi yn dod atynt eu hunain, yn clirio'r llanast ac yn dod i delerau efo'r ffaith eu bod yn dal yn fyw.

Nid oedd diwedd y byd wedi digwydd wedi'r cwbl, ac wrth i bobl ddychwelyd i'w gwaith, ni ymddengys fod dim yn wahanol i'r arfer. Y newid mwyaf sydd rhaid i ni ddygymod ag o yw ysgrifennu y ffigyrau 2000 ar dop llythyr.

Mae pawb yn holi hwn a llall, 'ble mae bwg y Mileniwm?'

Rwy'n cael difyrrwch mawr y dyddiau hyn yn taro golwg ar daflen y Llywodraeth ar sut i ddelio gyda'r 'Bwg'.

O setiau teledu i oleuadau traffig, yr oeddem wedi cael ein paratoi i ddisgwyl yr anrhefn mwyaf dychrynllyd. Hyd yma (ac rwy'n sgrifennu hwn ar y 5ed), dydi'r Bwg ddim wedi effeithio ar ddim byd oni bai am y car – a does dim byd mwy difrifol na batri fflat ar hwnnw.

Ond mae yna wers go sylfaenol yn Nameg y Chwilen. Sef y gallwch – drwy'r Llywodraeth a'r Cyfryngau – greu yr Ofn mwya rhyfeddol mewn pobl ynglŷn â rhywbeth cwbl ddi-sail.

Yr oedd y rhai mwyaf pryderus ohonom wedi sgubo'r silffoedd bwyd yn lân ac un teulu wedi mudo i'r ardal mwyaf diarffordd o'r Alban i osgoi pa bynnag Drallod oedd ar fin dod. Y mae'n stori y byddai rhywun fel George Orwell wrth ei bodd gyda hi.

Mae hyn wedi fy arwain i ddechrau amau popeth mae'r Llywodraeth am i ni gredu (ac ro'n i'n ddigon o sinig yn y ganrif ddwytha). Os gallant greu y fath 'heip' am chwilen anweledig, mae unrhyw beth yn bosibl.

Efallai mai lol ydi'r cyfan ddaw o'u tu. Lol ydi'r ffaith na allwn ni gael gwared o'r Frenhines, lol ydi'r ffaith na ellir rhoi mwy o rym i'r Cynulliad, lol ydi'r honiad na ellir sicrhau Deddf Newydd i'r Gymraeg.

Y Llywodraeth a'r Cyfryngau sy'n peri i ni feddwl hyn, a chyfyngu ein gweledigaeth i bethau bach, bach.

O ganlyniad, yr ydw i'n mynd i ychwanegu un adduned arall at fy rhestr. I beidio credu'r rwtsh a ddaw o enau gwleidyddion a golygyddion papur newydd – ar wahân i'r *Herald*.

A phan fyddaf yn hen a hagr, a'm dwylo crynedig yn agor y tun siap cloc, ac yn gofyn i'm wyres fach roddi edau mewn nodwydd i mi, byddaf yn dweud wrthi: 'Wyddost ti, yn y dyddiau hynny, roedden ni'n dal i gredu nad oedd gennym y grym i reoli ein dyfodol ein hunain...'

8 Ionawr, 2000

Fydd tre'r Cofis ddim yr un fath heb yr hen siop dda-da ar y Maes

Roedd o'n achlysur i'w ddathlu – agor siop newydd ar Y Maes.

Yn well byth, roedd hi'n siop hufen iâ, fy hufen iâ gorau i – Cadwaladrs.

I ddathlu, dyma brynu cornet o'r gymysgedd hufenog melys a chael siocled tawdd drosto – ro'n i uwchben fy nigon.

Cerddais heibio cyrion y Farchnad yn mwynhau'r blas, heibio i Morgan Lloyd, cip ar Byrtyreli, a stopio'n stond. Peth bach iawn oedd o, ond roedd o'n datgelu'r cyfan – roedd clo ar y drws. A chyda'r clo hwnnw, roedd pennod unigryw yn hanes Caernarfon wedi dod i ben.

Rydw i wedi bod yn ofni'r funud honno ers blynyddoedd. Mwya o newidiadau sy'n digwydd yn Dre, mwya ansicr y teimlaf. Gyda chau pob hen siop ac agor pob un newydd, mae yna rywbeth gaiff ei golli. Ceisiaf gymryd agwedd bositif ar hyn – rhaid i fywyd fynd rhagddo, a does dim disgwyl i bethau plentyndod a phethau cyfarwydd bywyd barhau am byth.

Dyna oedd yn gwneud yr hen siop hon ar y Maes yn wahanol. Wnaeth hi ddim newid. Falle i'r tu blaen ddirywio, ond wnaeth o ddim newid. Am faint y bu'r creadur Licris Olsorts hwnnw'n addurno'r ffenest, gyda'r bocseidiau siocled hynafol? Be ar y ddaear oedd fisitors yn ei feddwl o weld y fath beth yn un o *prime sites* y dref? Diawch, roedd yr haul wedi tywynnu cymaint arnynt fel bod popeth yr un lliw yn y diwedd.

Carreg y drws ro'n i'n rhyfeddu ati – welais i ddim carreg mor gam yn y dref i gyd. Pant enfawr yn ei chanol wedi i genhedlaeth ar ôl cenhedlaeth o Gofis sefyll arni'n stelcian, yn caru, yn aros, yn ffarwelio, yn disgwyl bws, yn difyrru'r amser. Fûm i ddim tu mewn ers oesoedd, ond roedd camu dros y trothwy fel camu i'r oes o'r blaen. Y *decor* brown hynafol, y casgliad mwya rhyfeddol o dda-da, a'r cap gwlân yn cuddio y tu ôl iddynt. Dan y cap gwlân yr oedd llygaid mawr digalon Byrtyreli oedd wastad yn peri i mi feddwl ei fod yn hiraethu am rhyw oes well. Dan y llygaid, roedd y mwstash a'r Cymraeg chwithig. Wn i ddim amdano, prin oedd y geiriau rhyngom – roeddech yn prynu eich da-da, a dyna chi. Roedd hi'n anodd gogordroi yno, er cymaint ro'n i eisiau gwneud hynny. Hon oedd yr un siop yn Dre oedd yn Dal Run Fath.

Ambell waith, byddwn yn gweld y siop ar gau ac yn ofni beth fyddai wedi digwydd, ond ymhen dipyn, byddai'r drws wedi agor a byddai busnes fel arfer. Fydda Byrtyreli byth yn cau'n derfynol. Byddai'n fwy tebygol i'r byd symud oddi ar ei echel.

Tan y dydd o'r blaen, pan ro'n i'n cerdded ar hyd y pafin ac yn mwynhau fy hufen iâ. Doedd dim rhaid holi neb, doedd dim angen rhybudd ar y drws, na hysbysiad yn y papur. Roedd y clo yn dweud y cyfan. Roedd cyfnod wedi dod i ben. Yna, daeth cadarnhad gan rywun:

'Wyddech chi ddim? Mae Byrtyreli wedi marw.' Dim ond hynny, ond mi deimlais golled.

Mi dynnan nhw'r llechen gam oedd yn garreg y drws rŵan. Gewch chi weld. Mi wnawn nhw ailwampio'r cyfan. Mi agoran nhw siop newydd sbon danlli fydd yn sgleinio. Ac mi fydd hi run fath ag unrhyw siop arall yn unrhyw dref arall yng ngwledydd yr ynysoedd hyn. Fydd dim byd yn unigryw yn ei chylch. Dim ond un Byrtyreli oedd yna.

Ro'n i'n arfer gwirioni ar y grisiau llechen oedd yn arwain o'r Cei at y Maes, heibio hen adeilad yr Herald. Roedden nhw'n fendigedig o gam, a phob pant yn dangos ôl y rhai a fu o'n blaen. Bellach, maen nhw wedi rhoi llechi newydd yn eu lle. Carreg drws Byrtyreli oedd yr unig un ar ôl efo pant gwirioneddol ynddi.

Ers talwm, mi fydda fo yn gwerthu hufen iâ, a hufen iâ da iawn oedd o hefyd, o gofio. Ond rŵan, mae yna siop hufen iâ newydd ar Y Maes, ac mae ei chynllun a'i lliwiau a'i logo yn union fel y siopau eraill sydd ym Mhwllheli, Cricieth, Porthmadog a Llandudno. Mae'n rhaid wrth yr unffurfiaeth yma os ydi busnes i lwyddo. Y Ddelwedd – dyna sy'n cyfri.

Yn Llawlyfr Rheolau Cyfalafiaeth, yn yr isadran ar 'Delwedd mewn Busnes a Sut i'w Chyflwyno', diau fod Byrtyreli wedi torri pob un o'r canllawiau. Mi fyddai unrhyw gwmni marchnata wedi cael sioc farwol o weld ei ffenest flaen. Mi fydda ymgynghorydd ariannol wedi dweud fod tu mewn ei siop yn anobeithiol.

Byddai unrhyw Fenter wedi gwrthod ysgwyd y llaw honno oedd wastad mewn maneg. Mi fydde yna awgrym caredig wedi ei roi iddo dwtio ei fwstash, tynnu ei gap, neu'n well byth, symud o'r ffordd a gadael i hoeden ifanc nwydus gymryd ei le. Dyna sut mae Gwneud Busnes.

Dydyn nhw ddim yn deall. Pobl sy'n creu perthynas. Ac mae cwsmeriaid hyd yn oed yn gallu syrffedu ar unffurfiaeth blastig. Maen nhw'n gallu gwerthfawrogi y Dic Aberdaron sy'n britho bywyd ac yn rhoi lliw a blas iddo. Wrth i Siop Byrtyreli gau am byth, bydd yna fwlch yn rhes y Pater Noster na fydd modd ei lenwi eto. Diolch amdano.

27 Awst, 1994

Profiad ysbrydol wrth hedfan

Pam mae ieir bach yr haf yn hedfan drwy'r amser? Am eu bod yn gallu. Petawn i wedi bod y neidr gantroed yn y bywyd blaenorol, hedfan yn ddi-baid fyddwn innau.

Ro'n i yn yr ardd Sul dwytha yn mwynhau'r tywydd poeth ac yn gwylio'r adenydd gwyn o flaen fy llygaid yn dawnsio yn yr haul, ac ro'n i'n eithriadol o eiddigeddus.

Y bore cynt, roeddwn ninnau hefyd wedi cael rhannu'r ffurfafen ag o. Cynnig annisgwyl ddaeth gan beilot dibrofiad, Sel Jones, o Lanrug. Yn anrheg pen-blwydd, roedd o wedi cael un wers hedfan, ac roedd lle i rywun arall yn y sedd gefn. Neidiais at y cynnig.

Roedd hi'n fore heulog o Fehefin, ac roedd gen i Sadwrn rhydd. A dweud y gwir, mae gen i docyn taith-mewn-awyren yn nrôr y ddesg (ers dwy flynedd). Pum munud o daith sydd 'na i Faes Awyr Caernarfon ond tydw i ddim wedi mynd o'i chwmpas.

Weithiau, daw achlysur arbennig i'w ddathlu, ond mae o ynghanol y Gaeaf. Dro arall, mi gofiaf am y tocyn pan mae'r tywydd braf wedi bod. Rydw i wedi gohirio'r achlysur droeon. Ond y tro hwn, roedd rhywun arall wrth y llyw, ac fe'i dilynais yn llawen.

Un freuddwyd a gaf yn gyson yw'r un amdanaf fy hun yn hedfan. Rwy'n codi i'r awyr yn hamddenol, ac mae'r ddaear oddi tanaf yn mynd ymhellach ac ymhellach. Y Drwg ydi na allaf ddod i lawr.

Sadwrn dwytha, mi ddeuthum yn beryglus o agos at wireddu'r freuddwyd. Cyn mynd i'r awyren cewch gyflwyniad byr i *aero-dynamics* sy'n egluro pa rannau o'r awyren sy'n symud er mwyn ei chadw uwchlaw'r ddaear. Gyda hynny o sicrwydd fod ein heinioes yn saff, dyma roi fy ffydd yn y gyrrwr, ac i ffwrdd â ni.

Nid dyma'r tro cyntaf i mi hedfan. Mae'n wir 'mod i'n ddeg ar hugain cyn teithio dramor, ond wedi hynny, rwyf wedi teithio mewn awyren o leiaf unwaith y flwyddyn. Nid yw'n brofiad annymunol (ar wahân i'r effaith gaiff ar fy nghlustiau) ond nid yw'n brofiad cynhyrfus iawn chwaith. Ychydig iawn a allwch weld drwy ffenest awyren.

Mae'n rhaid i chi fod yn ddigon ffodus i gael sedd wrth y ffenest, ac mae'n rhaid i chi fod yn barod i wylio cymylau neu fôr am filltiroedd cyn ei bod hi'n werth tynnu'r camera allan.

Mae taith o Ddinas Dinlle yn wahanol. Am nad ydych yn teithio'n rhy uchel, mi allwch chi weld popeth. Wrth adael maes awyr Manceinion neu Heathrow, mi allwch chi weld gerddi a thai pobl, ond dydyn nhw'n golygu dim i chi.

Yn yr ardal hon mi wyddoch ar bwy ydych chi'n sbecian. I'r sawl sy'n bwriadu gwneud y fath daith, gaf i awgrymu dau beth allai fod yn handi – ysbienddrych a map. (Peidiwch â dibynnu ar y peilot swyddogol – wyddai hwnnw ddim am Landwrog, heb sôn am nunlle arall). Cyngor arall yw i chi beidio ceisio cofnodi gormod o'r daith. Euthum â chamera efo mi a pheiriant fideo, a rhwng y ddau, ro'n i bron â drysu.

Y sioc gyntaf a gefais oedd ei fod mor debyg i'r gwreiddiol. Synnwn fod yr hyn a welwn mor debyg i fap, cyn sylweddoli fod hwn yn rhagori ar fap! Roedd popeth yn lle roedd o i fod.

Peth arall a'm trawodd oedd pa mor daclus oedd y cyfan. Wrth edrych i lawr o'r cymylau, mae'r diffygion yn diflannu. Mae'r tir wedi ei rannu yn gaeau taclus, ac mae waliau cerrig yn eu gwarchod.

Mae pentrefi yn unedau twt, ac mae tŵr yr eglwys a lleoliad y fynwent yn dangos i chi sut y tyfodd y pentref o amgylch y rhain. Mae'r cyfan yn batrwm o drefn, a phetawn i'n angel yn edrych i lawr, mi fyddwn dan yr argraff fod y byd yn llawer mwy trefnus nag y mae.

Un nodwedd newydd i'r tirwedd yw Ffordd Osgoi Llanllyfni. Falle na chawn yr argraff fod cymaint â hynny yn digwydd, ond o'r awyr, roedd y llwybr newydd melyn yn amlwg iawn i'w weld.

O fewn munudau, roeddem wedi teithio heibio Glynllifon a chyn pasio Pen-y-groes. Dyna lle roeddwn i'n ceisio canfod fy nhŷ bach i ac yn gresynu na fyddai gen i synnwyr cyfeiriad gwell.

Aeth yr awyren yn ei blaen – uwch ben Pant-glas ac am Gricieth, a minnau'n dal fy ngwynt oherwydd harddwch y cyfan.

Ddaru mi rioed sylweddoli 'mod i'n byw mewn ardal mor wledig. Mynyddoedd yw'r prif nodwedd, ac rydym ninnau yn byw ar y cyrion, mewn pentrefi bach, bach. Ond brensiach, mae o'n dlws.

Buan yr aiff yr hanner awr, ac wedi tro neu ddau uwchben Llanwnda i geisio chwifio fy llaw ar 'nhad a mam, roedd yn amser dychwelyd i'r maes awyr.

Cawsom un tro uwchben Llanfaglan a Belan ac roedd mynwent Llanfaglan i'w gweld yn glir.

Profiad cwbl newydd i mi oedd gweld y siapiau a wnai'r gwynt wrth chwythu drwy wair hir, a gwirionais ar y patrwm.

Dipyn o sioc i'r system oedd gorfod glanio mor fuan, ro'n i am i'r wefr barhau.

Rydw i fel person gafodd ymweld am ychydig eiliadau â byd tri dimensiwn, ac sydd wedi gorfod dychwelyd i focs. Tu allan, yn fan'na, mi wn fod dimensiwn arall, ac rydw i'n ysu am gael y profiad drachefn.

Ddaru Duw fwriadu i ddynoliaeth gael hedfan? Wn i ddim. Ond mi wn bellach fod yna agwedd ysbrydol i hedfan.

Wrth godi uwchlaw pridd y ddaear, rydych yn codi uwchlaw materoldeb a mân bryderon yr hen fyd yma. Cewch olwg ehangach ar ddynoliaeth ac mi sylweddolwch eich bod yn poeni am bethau dibwys. Mae 'na fwy i'r darlun. Da chi, os daw'r cyfle i chi hedfan, manteisiwch arno.

Tan y tro nesaf, bydd rhaid i mi fodloni ar geisio rhoi fy hun yn esgidiau ysgafn ieir bach yr haf, a breuddwydio…

24 Mehefin, 2000

Ailddarganfod pleserau rhwng môr a mynydd

Pan mae rhywun yn deud 'nofio', be ydi'r darlun ddaw i'ch pen chi? Mi fydda i yn meddwl am bwll nofio, a dwi'n rhoi ochenaid. Nid 'mod i wedi bod mewn un ers dros flwyddyn cofiwch, ond mae o'n rwbath y dylia rywun fod yn ei wneud, ac yn meddwl am gant a mil o resymau dros beidio.

Wn i ddim be dwi'n ei gasáu fwya am byllau nofio – y sŵn annaearol, yr ogla clorîn, y rapsgaliwns sy'n mynnu deifio ar eich pen, y dŵr yn mynd drwy'ch trwyn, neu'r strach o sychu a gwisgo wedyn.

Hmm, falle mai'r ola ydi o – mae meddwl am roi dillad ar groen tamp, neu drio gwisgo hosan, a chitha fel pelican ar un goes yn rhoi'r felan i mi.

Mae ambell un wrth ei fodd efo'r teimlad 'iach' o gerdded o bwll nofio yn gwybod fod yr ymdrech wedi gwneud llês i'r corff os nad i'r enaid, ond fydda i byth yn cael y profiad hunan-gyfiawn hwnnw. Gâs gen i fynd allan efo pen tamp, mae ngyhyrau i'n brifo, a dwi'n gwylltio efo fi'n hun am fentro o'r tŷ.

Go daria'r *gurus* cadw'n heini 'ma. Pa hawl sydd ganddynt i styrbio creaduriaid fel fi sy'n berffaith ddedwydd ar soffa o flaen tân?

Fodd bynnag, daeth y tywydd braf, a dyma finna'n dechrau chwysu. Ar y dydd Sadwrn chwilboeth (pan oedd ffyliaid yn rhedeg i fyny'r Wyddfa a hitha'n boethach yn yr Henwlad nag oedd hi yn Hawäi…) mi fûm yn ddigon gwirion i fynd ar y beic.

Wrth reidio ar hyd y Lôn Wen, mi edrychais i lawr at

Ddinas Dinlle a sylweddoli mai dyna'r lle y byddai rhywun yn ei iawn bwyll yn mynd ar dywydd mor boeth.

Wedi i mi gyrraedd adre, ges i job cyrraedd drws y tŷ, heb sôn am Ddinas Dinlle, a fuo 'na ddim cyfle ar y Sul chwaith. Ond pan wawriodd drennydd yr un mor gynnes, mi lapiais y tywel, gwneud picnic, a mynd lawr i lan y môr. Tyrchais i waelod y wardrob i ganfod y dillad trochi a daeth llu o atgofion yn ôl i mi.

Un o bleserau pennaf yr Haf ers talwm oedd cael Mam i ddod i'n nôl o'r ysgol a chael gweld y fasgiad fawr yng nghefn y car.

Byddai'r pump ohonom ni blant yn gwasgu i'r car ac mi fydda Mam yn gyrru'n syth i Ddinas Dinlle. Wedi trochi, mi fyddem yn cael te, a hyd heddiw, mi allaf flasu'r tywod yn gymysg â'r frechdan.

Nid ein bod yn cwyno – dyna beth oedd te glan môr. Mi fyddai ein gwalltiau fel gwymon, a thywod rhwng ein bodia, ond roedd pleser amheuthun i'w gael o deimlo'r haul yn crasu'r croen.

Pleser cyntefig iawn oedd o, a byddai'r synhwyrau'n anarferol o effro – i grawcian gwylanod, i'r gwynt ar ein wynebau, i ddisgleirder yr haul ar y tonnau. Weithiau, mi fyddwn yn argyhoeddedig mai môr-forwyn oeddwn i yn y bywyd blaenorol.

Dydw i erioed wedi gwerthfawrogi Dinas Dinlle, dim ond wedi ei gymryd yn gwbl ganiataol. Dwi'n meddwl am yr anffodusion sy'n byw ymhell o'r môr a byth yn cael mwynhau traeth na thonnau.

Roedd Dinas Dinlle o fewn pellter cerdded i ni'n blant. Rhyw hen draeth digon swnllyd fuo fo rioed, a doedd y siopau glan môr, y siopa chips, yr hen adeiladau rhyfel a'r ymdrechion di-ddiwedd i gadw rhyw lun ar forglawdd ddim yn ychwanegu gronyn at yr awyrgylch.

Ar ddiwrnod o haf, pan fyddai'r lle dan ei sang a'r ceir yn troi'r lle yn un maes parcio mawr, anodd oedd dychmygu mai dyma'r union fan lle gwrthododd Arianrhod roi enw na gwraig nac arfau i Lleu Llaw Gyffes.

Ond y diwrnod o'r blaen, fe'i gwelais drwy lygaid newydd. Dadwisgais, a mentro i'r môr, ac ail-ddarganfod pleser nofio.

Pwy yn ei iawn bwyll fyddai yn dewis nofio dan do, wedi profiad fel hwn? Tasgodd y tonnau a'm gwlychu yn domen. Blasais yr heli, a theimlais y tywod esmwyth dan draed.

Nid nofio mae rhywun yn ei wneud ar adegau fel hyn, ond chwarae efo'r môr. Ei herio, chwarae mig efo fo, gorwedd ar eich cefn, a gadael i'r anghenfil hwn eich cario ar ymchwydd ei donnau. Ildiais iddo, a chael fy nhynnu yn ddwfn dan y dŵr.

Codais, cael fy nallu gan yr haul, ac yna sylwi ar yr olygfa. Dyna lle roedd yr Eifl yn codi'n osgeiddig o'r dŵr, yn fendigedig las. Gefais i fy magu mewn lle fel hyn? Roedd harddwch y fan yn ddigon i mi golli f'anadl. Roedd siap cyfarwydd Din Lleu yn gorwedd yn ddiog yn yr haul, hanner ohono wedi ei fwyta gan y môr.

Fan hyn fyddan ni'n dod yn blant, fan hyn y deuai 'nhad yn blentyn. Fan hyn y deuai fy nain, wedi gwthio coets yr holl ffordd o Dal-y-sarn, ac yna'n ei gwthio'r holl ffordd adre hefyd.

Mi fuo plant yr Ysgol Sul yn mynd am flynyddoedd i Rhyl, pan awgrymodd fy nhaid unwaith y byddai trip i Ddinas Dinlle yn newid braf. Dinas Dinlle fuo hi wedyn bob blwyddyn.

Edrychais ar y wynebau llawen o'm cwmpas. Mae 'na bleser syml i'w gael mewn glan môr. Waeth pa mor soffistigedig ydi'n dulliau ni o ymlacio yn yr unfed ganrif ar hugain, waeth pa mor electronaidd yw chwaraeon plant y dyddia hyn, mae pawb yn canfod rhywbeth i'w wneud ar lan y môr. Ac mae'n dda wrth y siopa bwcedi plastig a'r hufen iâ hwythau – mi gewch baned o de neu bryd o fwyd blasus pryd bynnag 'dach chi eisiau.

Felly, os na fuoch chithau fel minnau ar gyfyl Dinas Dinlle ers amser maith, rhowch gynnig ar y lle unwaith eto. Mentrwch fynd â'ch dillad trochi, a rhoi bawd eich troed yn y dŵr. Fydd y môr fawr o dro yn eich hudo.

Canfyddwch hen bleserau drachefn, ewch â brechdan efo chi a mwynhau bwyta yn yr awyr iach. Casglwch gregyn a gwneud siapiau yn y tywod.

Rydan ni'n cwyno cymaint am ein stâd, yn dyheu cymaint am bethau tu hwnt i'n cyrraedd, ac yn anghofio fod y pleserau gorau wrth ein traed, a hynny am ddim.

Erbyn i chi ddarllen hwn mae'n siŵr y bydd yn arllwys y glaw, a mi fydd 'na hen wynt blin yn ein pryfocio, ond pan ddaw'r haul allan eto, peidiwch a cholli'r cyfle, da chi… Os cewch chi'r un wefr â mi, ewch chi ddim ar gyfyl pwll nofio dan do byth eto.

11 Awst, 2001

Wna i byth ddysgu 'ngwers

Rydw i'n gwneud yr un camgymeriad bob blwyddyn, ac erbyn hyn, dylwn wybod yn well. Rhyw ysfa ddaw drosof, tua'r mis Hydref, o weld y dydd yn byrhau a nosweithiau'n ymestyn, fod pob math o botensial yn llechu ynof.

Dwi'n rhoi y bai ar y WEA. Bob blwyddyn, ymddengys rhestr faith yn y papur lleol, a dwi'n cael fy nenu'n flynyddol gan yr amrywiaeth o ddewisiadau. 'Pam lai?' gofynnaf i mi fy hun, 'fydda i ddim gwaeth o roi cynnig arni.' A dyna sut ydw i'n canfod fy hun yn y sefydliad rhyfedd hwnnw – y dosbarth nos.

Wn i ddim yn iawn pam eu bod mor rhyfedd. Efallai mai dim ond y dosbarthiadau yr ydw i'n eu mynychu sy'n rhyfedd, ond rydw i wedi cael profiad go helaeth erbyn hyn. Un peth sy'n eu nodweddu yw eu bod yn dod â'r casgliad rhyfeddaf o bobl at ei gilydd, achos does neb yn ymuno â dosbarth nos am yr un rhesymau. Falle fod ein bywydau a'n cefndir yn gwbl wahanol, ond mae gennym un peth yn gyffredin – y dosbarth nos.

Dosbarth nos Rwsieg oedd y cyntaf i mi ei fynychu, yn Ysgol Dyffryn Nantlle, a minnau'n un ar bymtheg. Roedd hwn yn ystod y Rhyfel Oer, ac roedd pawb arall yn y dosbarth yn tynnu pensiwn. Pam oedd tair ohonom ni ferched ysgol eisiau dysgu Rwsieg, fedra i ddim cofio. Efallai fod yna swyn yn y gwaharddedig, ond credaf fod ganddo fwy i'w wneud efo fy obsesiwn ar y pryd efo Omar Sharif a hud *Dr Zhivago*. Mae'r llyfr ymarferion dal gen i, ac un frawddeg yn y sgript sirilig, sy'n datgan o'i chyfieithu. 'Fy enw yw

Angharad. Rwy'n dod o'r Deyrnas Unedig. Rwy'n dysgu Rwsieg. Dydd da.' Ches i rioed gyfle i wneud defnydd o'r cyfarchiad hwnnw.

Dro arall, bûm mewn dosbarthiadau arlunio, ac mae'n well gen i anghofio'r dosbarth hwnnw. Yna, bûm yn teithio yr holl ffordd i Bwllheli flynyddoedd yn ôl i ddosbarthiadau caligraffi. Cefais chwilen yn fy mhen y byddwn wrth fy modd yn gallu meistroli llawysgrifen gain, ac o neilltuo dwy awr yr wythnos am ddeg wythnos, y byddwn yn sicr o feistroli'r grefft. Mae'r pinnau ysgrifennu pren a'r amrywiaeth o *nibs* ac inc yn dal gen i mewn bocs, ond dydw i erioed wedi rhoi cynnig arni wedi hynny. Dipyn o boitsh oedd y cyfan a dweud y gwir.

Efallai mai'r dosbarth rhyfeddaf yr wyf wedi ei fynychu yw dosbarth gwneud lês. (Sylwch fod elfen ramantus yn cydio'r dyheadau hyn gyda'i gilydd.) Pam ar y ddaear fasa rhywun eisiau dysgu gwneud lês yn yr oes hon?

Ym Mangor oedd y dosbarth hwnnw, a chofiaf gyrraedd y dosbarth yn hwyr, a'r hen wragedd oedd yno yn troi i edrych arnaf fel petawn yn ymwelydd o'r lleuad. Yr oeddynt yn cyd-gyfarfod yn rheolaidd ers tua hanner can mlynedd, a doedd neb newydd wedi tarfu arnynt o'r blaen. Cefais y *bobbin* a'r bachyn a rhoi cynnig ar y peth anoddaf yr ydw i wedi ei wneud erioed. Dydw i ddim yn credu i mi bara yn y dosbarth hwnnw yn fwy na pythefnos.

Eleni, rydw i yn ôl yn Ysgol Dyffryn Nantlle, ac wedi ymaelodi gyda Dosbarth Arlunio – unwaith eto. Y peth anoddaf ydi mynd i'r noson gyntaf, heb adnabod neb, a heb wybod beth ar y ddaear sydd o'ch blaen. Yn yr ysgol yr oedd un o'r gwragedd sy'n mynychu'r un capel â mi, a'r athro celf. Buom yn siarad am bum munud cyn i'r 'athro' ffarwelio â ni, a chamu i'r gwyll.

'Y gofalwr oedd o,' meddai fy nghyd-artist, wrth weld fy mhenbleth.

Aeth pum munud arall heibio a daeth Saesnes felynwallt drwy'r drws a pheth wmbredd o nialwch artistig. Sandra oedd hon. O'r diwedd, cyrhaeddodd un disgybl arall a Bedwyr – ein hathro. Mae Bedwyr yn ddigon ifanc i fod yn fab i'r rhan fwyaf ohonom, ac yn gwisgo siaced ledr a modrwy yn ei glust. Rwy'n dyfalu sut y byddwn yn dod ymlaen.

A dyna'r dosbarth – pedair gwraig ac artist. Y dasg gyntaf a roddwyd i ni oedd darlunio'r person oedd nesaf atom. Rhoddwyd dalen fawr wen o'n blaenau, ac fe'n gadawyd i wneud ein potes. Sandra oedd nesaf ataf fi. Dyma ddechrau'r dasg anodd o gael rhyw gyffelybiaeth i Sandra ar bapur, tra'n ymwybodol iawn fod Cath oedd ar yr ochr arall i mi yn ceisio tynnu fy llun i. I dynnu llun rhywun, rhaid i chi syllu arnynt am amser maith, sy'n beth hy iawn i'w wneud efo rhywun nad ydych chi erioed wedi cwrdd â hwy. Roeddwn i eisiau dangos fod gen i ryw grebwyll artistig, ond doeddwn i ddim eisiau pechu Sandra. Yn y diwedd, daeth yr awydd i blesio Sandra yn bwysicach na dim. Gwnes y gorau o'i gwallt lliw banadl a rhoddais lygaid chwerthin clên iddi. Doedd o ddim yn ddarlun rhy erchyll (na rhy debyg!).

Ymhen hir a hwyr, gofynnodd Bedwyr inni roi ein lluniau ar y bwrdd, ac roedd pawb i feirniadu gwaith ei gilydd. Welais i rioed gasgliad rhyfeddach o luniau.

Wrth i bawb gadw'n dawel, gan gynnwys yr athro, llinell o waith T Gwynn Jones ddaeth i'm meddwl:

'Bedwyr, yn drist a distaw, wylodd ac edrychodd draw.'

Bellach, roedd o'n gwybod nad oedd yr un artist gwirioneddol yn ein mysg, a'i fod wedi ei dynghedu i dreulio tair awr bob wythnos efo ni o hynny tan Dolig yn trio cael rhyw fath o elfen artistig i'n cyfansoddiad.

Y peth nesaf a wnaeth oedd sodro penglog maharen ar y bwrdd o'n blaenau a dweud wrthym am ei ddarlunio. Ro'n i'n amau 'mod i wedi dod ar draws y faharen hon o'r blaen, yn nosbarth Davies Art nôl yn y Saithdegau. Ddaru mi rioed ddychmygu y byddai ein llwybrau yn croesi eto. Syllais am amser maith arni a chwpled Parry-Williams oedd yn mynnu dod i'm cof:

'Gwêl d'anfarwoldeb yng ngwynder noeth

Ysgerbwd y ddafad wrth Gorlan Rhos Boeth.'

(Efallai mai efo dosbarth barddoniaeth y dylwn fod wedi cofrestru.) Ni lwyddais i ddal y 'ffrâm osgeiddig' ar y ddalen, a phetawn adref, byddwn wedi rhoi'r ffidil yn y to wedi deng munud. Y drafferth oedd mai wyth o'r gloch ydoedd. Doedd y dosbarth ddim yn gorffen tan hanner awr wedi naw. Dyna un peth mae'r WEA yn ei ddysgu i chi – dyfalbarhad. Mae'n ddigon posib y byddwn wedi dioddef o'r Felan oni bai am gwmni'r merched (dyna beth arall mae'r WEA yn ei gynnig i chi – cwmnïaeth). Buom yn siarad bymtheg y dwsin, a bu hynny o gymorth i leddfu trychineb y faharen.

Dydan ni ddim wedi gweld Sandra ers y dosbarth cyntaf, diflannodd i ebargofiant, a ŵyr neb be ddaeth ohoni. Ond mae Beryl wedi dod ers hynny, ac mae'r gwmnïaeth yn gynnes – mae Beryl hyd yn oed yn dod â choffi! Rŵan, rydw i'n edrych ymlaen at nos Fawrth a 'dan ni'n cael arbrofi eto pastels, olew, a phapur du a sialc a phethau na fyddwn wedi dod ar eu traws fel arall. A beth bynnag fydd Bedwyr wedi ei ddysgu inni, byddwn wedi dysgu mwy am hanes lleol a hynt a helynt pawb dan ni'n nabod yn y Gymdeithas Dorcas hon sydd wedi ei sefydlu ar hen diriogaeth Davies Art.

12 Medi, 2002

Ambell dro mae'n talu i ddilyn chwilen i'r eithafion pellaf un

Peth sobor ydi cael Chwilan. Mae'n gafael ynoch a dydi hi ddim yn rhoi llonydd i chi. Dyna'r profiad ges i y dydd o'r blaen. Chwilan oedd yn gwrthod fy ngadael. Dywed rhai fod hyn yn nodwedd o gymeriad styfnig, wn i ddim. Yr unig beth a wn yw na fedra i orffwys yn llonydd tra bo chwilen yn fy mhen.

Y chwilen arbennig a gefais oedd mynd ar drywydd rhai o'r mannau hynny fu'n gartref ac yn lloches i deulu fy nhaid.

Mentrais i gyrion Sir Drefaldwyn ar un o ddyddiau sych prin Ebrill a chanfod fy hun wedi fy amgylchynu gan wlad a bryniau gwyrdd.

Deuthum o hyd i'r murddun yn Llanfechain oedd ag un wal yn sefyll, a cherddais o fan'no i'r Ysgol Genedlaethol lle cafodd fy nhaid ei addysg gynnar.

Oddi yno i Lanfyllin a llwyddo i ganfod y fan lle bu'n lletya ynddo tra'n llanc, yn ogystal â chael gafael ar lyfr hynod ddifyr am hanes Llanfyllin trwy luniau.

Difyr oedd cymharu'r olygfa gyfoes â'r llun o'r stryd fawr ar droad y ganrif. Plant mewn clôs penglin yn rhythu'n syn ar y camera. Merched mewn ffrogiau hir a'r dynion gyda hetiau caled. Tail ceffyl yn britho'r ffordd, a dim car o fewn golwg.

Mae'n siŵr mai dyfodiad ceir sydd wedi peri'r newid mwyaf yn ein bywydau o'u cymharu ag amgylchiadau dechrau'r ganrif.

Ond dyna fo, tase'r injan heb ei darganfod, fyddwn i ddim yn gallu gwibio fel hyn o fan i fan i chwilota.

Roedd y fan olaf ro'n i eisiau dod o hyd iddo yn dipyn mwy o sialens.

Ar un o ddyddiaduron fy nhaid yn y flwyddyn 1895, mae'r cyfeiriad Coppice House, Maesbrook. Yr hanes oedd fod fy hen daid wedi cael lle bach i gadw dwy neu dair o fuchod ar wastadedd Sir Amwythig. Oherwydd y mudo hwn, ni allai fy hen daid fforddio anfon ei blant i'r ysgol wedyn.

Y chwilen oedd gen i oedd canfod y tyddyn hwn.

Dyma groesi'r ffin yn Llanymynech a'r pentref cyntaf yr ochr draw i Glawdd Offa yw Maesbrook.

Doedd 'na run siop na phost i ddechrau holi ynddynt, a'r unig enaid byw oedd dieithryn i'r ardal oedd yn torri gwrych.

Euthum o'r naill dŷ i'r llall yn holi wyddai rhywun unrhyw beth am Coppice House. Wyddai neb. Taswn i'n sôn am y Tridegau, falle bod gobaith, ond diwedd y ganrif ddwytha? Doedd gen i ddim gobaith!

Yr agosaf y deuthum ati oedd cael fy nghyfeirio at gartref rhyw ddyn oedd wedi symud i'r ardal yn ddiweddar, ac a ymddiddorai mewn hen drenau. Gadewais nodyn dan ei ddrws ond ro'n i'n bur siomedig gyda f'ymdrech.

Dyna pryd y cydiodd y chwilen ynof. Fel yr oeddwn yn gadael y lle, penderfynais droi i fyny rhyw lôn gul, ac wrth fynd ar hyd y lôn, gwelais hen wreigen yn sefyll wrth ddrws ei thŷ – gwraig go hynafol yr olwg.

Wrth gwrs, y funud y gwelodd y car yn nesau, diflannodd, a chymrodd gryn berswad i mi ei denu yn ôl allan, gan nad fi oedd y ddynes *meals on wheels*, sef yr unig ymwelydd a gâi.

A wyddai hi lle roedd Coppice House? Gwyddai – a deud y gwir, gwyddai am ddau!

A'i dannedd prin fel cerrig beddi yn ei cheg, eglurodd mai saer maen oedd ei thad, ac roedd am ddangos peth o'i waith i mi. Saer maen oedd fy hen daid innau, a theimlwn 'mod i'n nesau at ben draw fy nhrywydd. Addewais y byddwn yn galw eto, a gadael y tŷ wrth i'r ddynes pryd ar glud gyrraedd.

Fedrwn i ddim gadael yr ardal, ac es yn fy mlaen nes gweld gŵr ar dractor yn ffarwelio â hen ddyn ar feic. Wedi i mi egluro wrth yrrwr y tractor be ro'n i eisiau, dywedodd wrthyf am ddilyn dyn y beic. 'Mae o'n naw deg dau ac yn siŵr o wybod.'

Wrth geisio dal y beic, teimlwn fel Pwyll yn ymlid Rhiannon, a'r beic yn mynnu mynd yn gynt wrth i mi ei ddilyn.

O'r diwedd, arhosodd dyn y beic, a daeth Methiwslia oddi arno a gofyn a gai bwyso yn erbyn fy nghar. 'Coppice House?' gofynnais.

Edrychodd arnaf yn graff.

'Now, let me see, would you be related to David Thomas, the stone mason?' gofynnodd.

A wir i chi, taswn i wedi pwyso botwm ar y We, fydda fo ddim wedi bod yn fwy defnyddiol.

Gwyddai am fy nheulu hyd y nawfed ach. Ac ie, fe wyddai lle roedd Coppice House, ac fe'm cyfarwyddodd yno.

Trwy'r cae diarffordd yr euthum, heb ddim i ddangos y ffordd ond geiriau'r hen ŵr a chynffon wen sgwarnog o'm blaen. Oedd, dan lwyth o dyfiant ac eiddew, gwaeth na fu'n gorchuddio Llys Ifor Hael, dyna lle roedd y tyddyn y bu 'nheulu yn byw ynddo. Gan fentro fy mywyd dringais drwy'r drws a gweld olion hen le tân, a'r grisiau ac estyll y to.

Dydi o ddim yn swnio'n fawr o wobr am yr holl straen, ond i mi, ro'n i uwch ben fy nigon.

Roedd darn bach arall o'r jig sô wedi ei roi yn ei le, ac yn bwysicach na dim, ro'n i wedi dal ati nes bodloni chwilen.

2 Mai, 1998

Dyletswydd byw bywyd i'r eithaf

Mae 'na sawl ffordd o gofnodi hapusrwydd, a dyna oedd pawb yn ceisio ei wneud – drwy gyfrwng seliwloid gan mwyaf, yn ffilm symud a ffilm llonydd. Ceisio dal hud y funud i'w gadw am byth. Y rhai hŷn yn ein plith yn gwybod yn well, yn gwybod yn rhy dda mai peth tryloyw yw hapusrwydd, a waeth befo sut y ceisiwn ddal gafael arno, rhyw fynd a dod i'n bywydau a wna.

Fodd bynnag, rhoddodd sawl un ymgais ar fframio darlun – y briodferch ar fraich ei thad wrth borth y capel, llun o'r pâr yn dod allan yn dal dwylo, y ddau deulu gyda'i gilydd a chonffeti'n chwyrlïo. Ambell i gameo o blentyn yn ceisio casglu'r papurau brau a'i ddal cyn i'r gwynt ei gipio ymaith. Teimlai'r cwpwl ryddhad bod yr addunedau wedi eu dweud a'r briodas wedi ei bendithio.

O fewn dim, yr oedd ffrindiau o amgylch y briodferch fel gwenyn rownd pot mêl yn edmygu'r tusw blodau, ei gwisg, ei thoriad a'i lliw, a'r tlws o amgylch ei gwddf a berthynai i'w nain.

Yr oedd pwyllgor o ferched mewn cornel arall yn llawn consyrn am sut aeth y trefniadau a'r paratoi i gael popeth yn barod. Soniwyd am y fodryb na allai ddod ond a oedd yn barod yn ei chartref am hanner dydd gyda llyfr emynau, Beibl a threfn y gwasanaeth i ddilyn y cyfan o bellter. Diolchodd sawl un i'r gweinidog am weinyddu'r gwasanaeth, gwnaeth pawb ei ran yn rhagorol ac roedd yna awyrgylch braf gartrefol.

Llawenychai pob un fod y tywydd yn fendigedig. 'Haul ar

y fodrwy' oedd y gredo fawr, a diau petai'n fôr o law y byddai yna ofergoel arall cyfleus wrth law. Daeth cymdogion cyfagos i flasu peth ar y dathlu a rhyfeddu fod priodas arall wedi digwydd yn y capel bach nad oes neb prin yn ei dywyllu o Sul i Sul. Ond y diwrnod hwnnw yr oedd dan ei sang a mwy na'i lond o flodau. Atseiniai'r llawenydd drwyddo ac yr oedd y capel ei hun fel petai'n ymfalchïo. Wedi'r tynnu lluniau a'r dymuniadau di-ri, i ffwrdd â'r car efo'r rhuban i arwain yr orymdaith i'r neithior.

Yn y neuadd bentref, yr oedd baneri glas lliw heli yn addurno'r nenfwd a llongau hwylio yn addurno'r llieiniau bwrdd. Ar ffurf llong oedd y gacen hefyd a'r rhai lleiaf yn ysu am wthio bys i'r eisin i'w flasu. Daeth pawb a'i anrheg wedi ei lapio'n lliwgar a rhubannau yn dal enwau a chyfarchion ffrindiau lu. Yr oedd y byrddau yn drymlwythog o ddanteithion o bob math a mawr fu'r gwledda.

Unwaith yr oedd y tafod wedi blasu un saig, yr oedd yn blysio am un arall ac yr oedd hen ddigon i gael ail a thrydydd platiad. Wedi'r pwdin, dechreuodd yr haul wahodd y plant allan yn ddi-hid o rybuddion oedolion. Allan o glyw rhieni, gallent redeg a dawnsio heb orfod pryderu am gadw esgidiau yn orau. Tynnwyd y tei oedd yn caethiwo'r gwddw a defnyddiwyd sgidiau sgleiniog i gicio pêl. Gadawyd y bobl mewn oed i areithio, hel atgofion a hiraethu am ddyddiau a fu. Heb ddoe yn perthyn iddynt, gallai'r plant luchio eu gofalon i'r pedwar gwynt a phryderu am bethau pwysicach megis pwced a rhaw.

Nid fod pawb yno'n ffrindiau wrth gwrs. Yr oeddem wedi byw ddigon hir gyda'n gilydd i ffraeo a chymodi a ffraeo drachefn. Felly yn ogystal â chyfarch a dal llygad yr oedd rhaid ymarfer y ddawn o osgoi ambell wyneb a throi ymaith o bryd i'w gilydd.

A rhan o ddefod priodas yw ceisio dal gwên a byw yn gytûn dan yr unto yn ffrindiau a theulu am ychydig oriau. Busnesai ambell un i weld sut oedd hwn a hwn neu hon a hon yn dod ymlaen gyda'i gilydd. O ddeunydd fel hyn mae storïau'n cael eu creu. Ond yr oedd yr haul yn rhy gynnes i ddal gormod o ddig. Wrth i'r dydd fynd rhagddo, meddalwyd calonnau nes yr oedd hiraeth yn mynnu deffro rhyw hen atgofion. Cyn i'r haul fachludo, aeth pawb am dro i'r traeth lle roedd harddwch yr Eifl yn enbyd a'r ffiol yn llawn.

Rhwng cychod pysgotwyr a sisial y tonnau y treuliwyd diwedd y dydd gan deimlo mor dda ambell waith yw cael byw.

Oedd, yr oedd yn briodas i'w chofio ac er na chefais wahoddiad iddi, nid oedd neb fel petaent yn pryderu gan mai am fy mys i yr oedd y fodrwy.

Eto, drwy'r wythnos, er yr holl lawenydd, neu efallai o'i herwydd, bu un ar fy meddwl. Un nad wyf yn ei hadnabod, nac erbyn hyn hyd yn oed yn cofio ei henw. Mae gen i gof plentyn o'i hewythr ac amgylchiadau trist ei farw. Ifanc iawn oeddwn bryd hynny, ond seriwyd y stori ar fy nghof. Wythnos yn ôl, yr oedd hi, fel fi, yn llawn edrych ymlaen. Yr oedd gryn dipyn yn iau na mi ac yn llawer mwy cyfoethog, ond yr un yw teimladau merch ar fin priodi drwy'r byd. Yr oedd ei meddwl yn llawn o ramant, o freuddwydion ac o edrych ymlaen. Noson cyn y briodas yr oedd popeth yn ei le. Yr oedd enwau'r gwahoddedigion ar y bwrdd yn ddisgwylgar, y fodrwy briodas ym mhoced y gwas, y wisg yn y llofft yn barod i'w gwisgo a'r presentau wedi ei lapio. Pawb yn gwneud paratoadau munud olaf ac yn cadw eu hunain yn brysur rhag gwirioni gyda'r cynnwrf. Yr oedd hon yn haeddu llawenydd. Plentyn yng nghroth ei mam ydoedd pan saethwyd ei thad yn farw. Bu hen ddigon o ofid yn hanes y teulu, yr oedd cyfle i ddathlu yn fraint go arbennig.

Noson cyn y briodas, chwalwyd y cyfan. Ni ŵyr neb beth ddigwyddodd yn iawn, ond aeth rhywbeth o chwith ac fe hyrddiwyd tri bywyd i'r ddaear. Uwchben Gwinllan Martha, dinistrwyd breuddwyd y briodferch yn ufflon. Cyffelybodd sawl un yr hanes i drasiedi Roegaidd. Ciliodd llawenydd yn slei i'r cilfachau a daeth trallod i chwarae ei ran ar y llwyfan drachefn. Rhoddwyd y gacen o'r neilltu, cuddiwyd y fodrwy, cadwyd y ffrog briodas yn y gist a daeth y dillad angladd allan eto. Pa bryd bynnag y cynhelir y wledd briodas, bydd trasiedi y Winllan yn bwrw ei gysgod drosti.

Doedden nhw'n perthyn yr un dafn o waed i mi, ac yng nghanol newyddion trist y byd, diau mai dim ond un stori arall oedd hon. Ond oherwydd iddi ddigwydd ar yr wythnos arbennig honno, fe deimlais drasiedi priodferch y Kennedy's i'r byw. Yr oeddwn yn ymwybodol ohono ar fy niwrnod dathlu fy hun, yn teimlo'n freintiedig 'mod i'n cael mwynhau dogn mor fawr o hapusrwydd.

Rhyw fynd a dod o'n bywydau a wna. Ond wrth edrych ar wynebau'r rhai hynaf yn ein mysg y diwrnod hwnnw wrth y capel, cefais gysur yn eu llygaid. Os mai mynd a dod o'n bywydau wna hapusrwydd, mae'r un peth yn wir am dristwch. Cyfres o eiliadau brau yw bywyd. Ein dyletswydd ni yw eu byw i'r eithaf.

28 Gorffennaf, 1999

Ar ben mynydd mae codi calon

Ail Sul y flwyddyn oedd hi a run cwmwl yn yr awyr pan benderfynais grwydro tua'r Fron a mynd i gopa Mynydd Grug. Dim ond wedi cyrraedd yr uchelderau mae rywun yn cofio cymaint o dangnefedd sydd i'w gael o'r fan honno. Fel y dywedodd O M Edwards: 'I adnewyddu bywyd, y mynydd yw'r gorau. Onid ydym wedi profi'n fynych, pan fôm yn croesi mynydd uchel, ein bod yn myned trwy gyfnewidfa trwyadl o ran nerth a bywiogrwydd?'

Mae'n daith hudol, heibio chwarel y Fron a Llyn y Ffynhonnau, at greigiau enbyd Cwm Du lle credir fod Cristnogion yn cael eu lluchio i'w marwolaeth gan y Rhufeiniaid, drwy'r grug i gopa'r mynydd. Dim ond wrth nesáu at y copa y mae'r olygfa ledrithiol yn ymagor o'ch blaen – yr Wyddfa, Tryfan, y Carneddau yn un rhes urddasol, a'r Sul hwnnw, roedd haen ysgafn o eira yn coroni'r cyfan. O'r fan honno, mewn distawrwydd llethol lle gallech glywed sŵn adenydd aderyn, y myfyriais ar y flwyddyn.

Eisoes, o fewn llai na pythefnos, cafwyd colledion. A'r golled yn fy myd bach i oedd colli Mrs Williams, Tŷ Mawr, ddau ddiwrnod ynghynt. Mae pob profedigaeth yn effeithio'n wahanol arnoch, a gyda Mrs Williams, aeth llond gwlad o atgofion.

Mae 'na sawl un oedd yn nabod Gwen Williams yn llawer gwell na mi, ond os ydych chi'n gweld rhywun yn gyson bob Sul am ddeugain mlynedd, dach chi'n cael adnabyddiaeth go dda ohonyn nhw.

Ym 1909 y ganed Gwen Williams, yn Mount Pleasant, Ty'n Lôn, a phan briododd Tomi Williams, a weithiai ar y môr, symudodd hanner milltir i lawr y ffordd i Tŷ Mawr, Bethesda Bach, Llanwnda. Pan ydych chi'n treulio pedwar ugain mlynedd mewn milltir sgwâr mor fach â hynny, rydych chi'n dod i adnabod ardal yn dda iawn, a gallai Gwen Williams fod wedi ennill gradd doethuriaeth ar hanes y plwyf a hynt a helynt y trigolion. Gyda hi, mae talp o chwedloniaeth leol wedi mynd. Wnaeth hi erioed ei gofnodi ar dâp nac ar bapur – ei dileit hi oedd traethu amdano. A falle bod yna rhyw obsesiwn y dyddiau hyn gyda rhoi pethau ar gof a chadw. Cyndyn iawn ydyn ni i dderbyn nad ydi llawer o bobl eisiau gwneud hyn. Rhaid derbyn pan fo'r rhain yn marw, eu bod yn mynd â thrysor i'r bedd gyda hwy.

Mae gen i gof plentyn o Tomi Williams, dyn mawr a gwallt trwchus arian ganddo. Wn i ddim a oedd o mor fawr â hynny, neu ai fi oedd yn fach, ond roedd o'n addas iawn fod Mr Williams yn byw yn Tŷ Mawr. Pan oedd o ar y môr, cai Mrs Williams grwydro'r byd efo fo, a dyma roddodd iddi'r hoffter o deithio. Ganed dwy ferch iddynt, Alaw a Brenda ac ymfudodd Alaw i'r Amerig. Mynych iawn y teithiodd Mrs Williams ar draws yr Iwerydd i ymweld â hi, gan wneud y daith ddwytha llynedd. Mawr oedd ei gofal o Alaw a Brenda a'u teuluoedd, a thrwyddi hi caem glywed am eu hynt a'u helynt.

Gan mai Wesla oedd Tomi Williams, daeth Mrs Williams o'r Bwlan yn aelod o Gapel Ty'n Lôn a dyna sut y deuthum i'w nabod. Er i Mr Williams farw dros ugain mlynedd yn ôl, parodd Gwen Williams yn aelod selog iawn yn Ty'n Lôn, gan gerdded i'r capel am flynyddoedd a gwrthod lifft yn y car am fod y dro yn 'gwneud lles' iddi. Y cof mwyaf sydd gen i ohoni yw mai gwraig dlws iawn oedd hi, er na welais rioed lun ohoni ym mlodau ei dyddiau. Ond hyd ddiwedd ei hoes roedd ganddi bâr o lygaid tywyll bywiog oedd yn pefrio. Y llygaid hynny na fyddai'n colli dim, y llygaid fyddai'n wastad yn llawn bywyd a llygaid fyddai'n chwerthin yn aml. Roedd holl gymeriad Gwen Williams yn cael ei adlewyrchu yn y llygaid hynny. Yr oedd yn wraig smart, drwsiadus oedd yn ymfalchïo yn ei gwisg. Roedd ganddi got o ffwr go iawn na welwch yn aml y dyddia hyn. 'Fydda wiw i mi fynd i dref fawr yn hon,' ddywedodd hi unwaith, 'maen nhw'n rhoi cyllyll yng nghefnau pobl sydd yn gwisgo petha fel hyn rŵan,' a finna, er cymaint fy mharch at hawliau anifeiliaid, yn gresynu mai oes felly yw hi.

Rai blynyddoedd yn ôl, bu raid iddi adael Tŷ Mawr a symud i fflatiau henoed yng Nghaernarfon. Mynegais fy nghydymdeimlad â hi. Wfftio fy sentiment ddaru Mrs Williams a mynnu fod rhaid i fywyd fynd yn ei flaen. Setlodd yn hapus yn G'narfon a byw bywyd llawn i'r diwedd. Wedi mynd yn hen, gwraig fel Mrs Williams garwn i fod, yn gallu rhoi siomedigaethau'r byd tu cefn i mi, gwrthod chwerwi ac edrych tua'r dyfodol gyda hyder. Mae'n gofyn cymeriad reit gryf i allu gwneud hynny.

Mae gen i ryw gymaint o bethau i gofio amdani – copi o'r Koran ddaeth gyda hi o un o'r gwledydd pell, cyfrol *Cymru* O M Edwards, a bocs bach pren roddodd hi'n anrheg i mi o'r America. Cymrai ddiddordeb ym mhob taith a wnawn ac wrth glywed fy hanesion, deuai peth o atgofion ei hieuenctid yn ôl iddi.

Ar ben Mynydd Grug sylweddolais nad teimlo'n brudd a ddylwn. O gymryd dalen o fywyd Gwen Williams, dylwn wenu'n ddewr ac edrych ymlaen at flwyddyn newydd gynhyrfus. Tase Mrs Williams, Tŷ Mawr, wrth fy ochr, byddai'n edrych ar yr ochr ola gan bwysleisio mor lwcus y bu yn cael bywyd mor faith a chyfoethog. Er hynny, bydd Ty'n Lôn yn lle tlotach hebddi, ac amhosib fydd peidio hiraethu am ei hysbryd sionc, ei pharablu difyr a harddwch dau lygad du.

16 Ionawr, 1999

Colli Elfed – cymeriad hynaws a dipyn yn wahanol i'r cyffredin

Maen nhw o hyd yn deud nad oes yna gymeriadau 'fel yr oedd 'na ers talwm'. Ers pan y gallaf gofio, mae pobl hŷn na mi wedi hiraethu ar ôl rhyw gymeriadau na chefais i erioed mo'u hadnabod. Pobl anghyffredin, pobl glên, pobl ddifyr yn wastadol, pobl dipyn bach yn wahanol i'r cyffredin. A mae nghenhedlaeth innau'n tyfu wedyn dan yr argraff ein bod yn byw yng nghanol esiamplau digon diflas o ddynoliaeth. Dim ond wedi inni eu colli yr ydym yn sylweddoli fod yna gymeriadau lliwgar ddychrynllyd yn perthyn i'n cenhedlaeth ninnau.

Efo pobl o'r fath, anodd iawn yw dweud pryd y daethant i'ch bywydau gyntaf, anodd yn wir cofio adeg pan nad oeddynt o gwmpas.

Y cyfarfyddiad cyntaf hwnnw yr oeddwn i'n ceisio ei ddwyn i gof ddydd Gwener dwytha pan glywais y newydd trist am farwolaeth Elfed Lewys. Fe fu farw'n ddisymwth iawn, fel petai wedi llithro drwy'r drws cyn i'r parti orffen. Chawson ni ddim cyfle i ffarwelio.

Doeddwn i ddim yn ei adnabod yn neilltuol o dda, rhaid dweud. Dyna pam na allaf roi teyrnged ffurfiol iddo. Doedd gen i mo'r syniad lleiaf pryd y'i ganwyd, nac yn lle. Wn i ddim ple ar y ddaear y cafodd ei fagu na'i addysgu, does gen i ddim clem os cafodd goleg nac ymhle y cafodd swyddi. Mae'n ddigon posib mai ar lwyfan Tafodau Tân ar ddechrau'r Saithdegau y clywais ef yn canu gyntaf – andros o lais dwfn ac wrth ei fodd yn canu penillion. Bu ei enw ar gloriau *Tafod y Ddraig* cyn i mi ymhel â Chymdeithas yr Iaith

– mewn achosion llys, yn dringo mastiau ac yn arwain teithiau cerdded.

Lle bynnag roedd o, mi fyddech yn sylwi arno. Nid am ei fod yn tynnu sylw ato'i hun yn fwriadol ond am fod y stwcyn hwn, a'i farf a'i flewiach, fymryn bach yn wahanol i bawb arall.

Wrth holi hwn a llall wedi iddo farw, deallais mai o'r Rhondda y deuai'n wreiddiol. Er hynny, gyda'r aelwyd ym Maldwyn y mae llawer ohonom yn cysylltu ei enw. Daeth yno i fyw a rhoi anadl newydd i'r Pethe yno; dan ei ysbrydoliaeth ef y daeth brawd a chwaer a chyfaill at ei gilydd i ffurfio'r grŵp Plethyn, un o'r synau mwyaf swynol ac unigryw a gawsom mewn canu cyfoes. Yno y daeth yn gyfeillgar ag Arfon Gwilym dalodd deyrnged iddo ar Radio Cymru.

Symudodd i fyw i Ddyfed wedyn, roedd ganddo gysylltiadau â Chrymych ac yn ffrindiau gyda Pete a Jean John. Bu'n byw yn ardal Ffostrasol, a thra roedd yno, daeth yn gysylltiedig ag un o'r gwyliau gwerin mwyaf llwyddiannus yng Nghymru – Gŵyl Werin y Cnapan. Ef yn wir oedd cadeirydd cyntaf yr Ŵyl. Rwyf wedi mynychu'r Ŵyl honno bron yn ddi-fwlch ers ei chychwyn, ac roedd hynny'n rhoi cyfle i rywun ddod i adnabod Elfed yn go dda. Ei syniad ef oedd y gystadleuaeth Cythraul Canu yn y Cnapan i roi cyfle i grwpiau gwerin newydd ddod i amlygrwydd.

Byddai'r rhai oedd yn cyd-weithio ag ef yn dweud nad oedd o'r hawsaf o bell ffordd i dynnu mlaen ag o, ond roedd ysbryd tanbaid Elfed yn rhan annatod ohono. Ac fel y dywedodd un cyfaill, 'po fwyaf ffyrnig fyddet ti'n ffraeo gydag Elfed, agosaf yn y byd fyddai'r berthynas rhyngoch.'

I Lanelli y crwydrodd wedyn, yn dal ati fel gweinidog gyda'r Annibynwyr. Welais i ddim gweinidog arall tebyg iddo chwaith. Coffa da amdano lai na dwy flynedd yn ôl yn arwain gwasanaeth ar lan Llyn Tryweryn wrth i Gymdeithas yr Iaith gychwyn ar y daith gerdded o Eisteddfod y Bala i alw am Senedd i Gymru. Biti na chaiff Elfed yn awr weld y Senedd honno.

Drannoeth ei farw annisgwyl, bûm mewn tri chylch gwahanol o bobl, a cholli Elfed oedd testun y sgwrs. Roedd y rhai y bûm yn ymddiddan â hwy o wahanol oedran a chefndir, ond yr oedd gan bob un rhyw adnabyddiaeth ohono. Adroddwyd y storïau, fel yr oedd Elfed yn gwmni da, fel y mynnai roi arian yn nwylo plant, fel yr hoffai godi canu a mwydro efo straeon di-ddiwedd, fel y byddai'n fodlon rhoi llety, er fod ei gartre'n gwbl anniben; fel y byddai wastad yn frwdfrydig ac yn llawn cynlluniau – fel y byddai wrth ei fodd bod yn ei chanol hi. Drwy'r sbectol drwchus honno, roedd yna bâr o lygaid a garai Gymru, ac a fyddai'n gwneud rhywbeth drosti. Gallai fod yn deimladwy iawn o bryd i'w gilydd, doedd o ddim yn un i guddio emosiwn.

Ddydd Calan y'i gwelais am y tro olaf. Roedd wedi rhoi lifft i Pete John yn ei gar, bob cam o Grymych, a gwelodd fi'n peintio Tafod mawr coch ar blacard wrth y troad i Benmachno. 'Dôbyr!' gwaeddodd Elfed, a dyma fo'n fy nharo i nad ydi neb yn deud y gair yna mwyach. Chwarddodd yn harti, fo a Pete, ac aethom ymlaen tua'r Wybrnant.

Rai dyddiau cyn y Nadolig y bu farw Jean John, gwraig Pete, perchennog Siop Sian. Rai misoedd ynghynt, collasom Les Powell, cyfaill triw ryfeddol i'r Gymdeithas. Rhyngddynt, mae'r tri hyn wedi gwneud cyfraniad aruthrol. Pobl oedd yn gweithio'n ddi-dâl ac yn ddirwgnach dros yr achos. All Cymru ddim fforddio'u colli.

15 Chwefror, 1999

Bardd mawr ddaru ddewis peidio troedio'r llwybr hawdd

Roedd nos Fawrth yn noson ryfedd. Roedd brys i wneud baner anferth gyda Thafod y Ddraig arni, a dyma tri ohonom yn gwthio ein hunain i'r atig dywyll i rywle fasa dim ots gwneud llanast yno.

Y diwrnod hwnnw, daeth y newyddion am farwolaeth R S Thomas. Wrth daenu'r paent ar y defnydd, nôl a mlaen, nôl a mlaen, yr unig sŵn a ddeuai o'r teledu islaw oedd teyrngedau, bob yn ail â llais unigryw y bardd yn llafarganu ei gerddi. Teimlwn fy mod wedi bod yn peintio Tafodau ers amser maith, ond dim hanner mor hir ag y bu'r Llais yn llefaru.

Y bore canlynol, rhaid oedd dringo mast ffôn symudol yn Y Felinheli, a dim ond pan yn eistedd yno, wedi clymu baner y Tafod ar y mast, y cefais y cyfle i fyfyrio ar y golled. Mae colli bardd yn golled fawr i unrhyw wlad, mae colli bardd fel R S yng Nghymru yn golled aruthrol.

Yn y papurau y diwrnod canlynol, yr oedd teyrngedau brith i'r *'loner'* a'r *'bitter poet'*. Nid bardd unig yr ymylon mo R S Thomas, roedd o reit yn ei chanol hi. Roedd cymaint yn ei gasáu ag oedd yn ei eilyn addoli, a doedd affliw o ots gan Mr Thomas.

Aeth fy meddwl yn ôl i'r tro cyntaf y clywais ei enw. Plentyn ysgol oeddwn yn cael fy niflasu'n ddyddiol gan y cwricilwm, ar wahân i wersi llenyddiaeth. Un diwrnod, a minnau tua 13 oed, cododd Mr Gill ar ei draed a dechrau llefaru,

Ah, you should see Cynddylan on a tractor...
A dyma ni blant Form 3 yn codi'n pennau a dechrau gwrando.

Doedden ni erioed wedi clywed cerdd Saesneg yn defnyddio Cymraeg fel 'Cynddylan' o'r blaen. Yr oedd hwn – er yn canu'n Saesneg – yn un ohonom ni. Yr oedd hi'n gerdd anghyffredin, ac yr oedd digon ynddi i hau diddordeb ynof yng ngwaith Ronald Stuart Thomas.

Rai blynyddoedd wedyn, ac R S Thomas wedi dod yn enw mwy cyfarwydd i mi, bûm yn ddigon ffodus i gael clywed ei ddarlith fawr yn Steddfod Wrecsam, *Abercuawg*. Seiliodd ei sylwadau ar un o englynion Llywarch Hen lle mae'r bardd yn cwyno ei fod yn rhy glaf i fynd i ryfela ac mae'n cyfeirio at y cogau yn canu. Wn i ddim lle mae'r ddarlith bellach, ond mae llais dolefus R S Thomas yn dal i seinio yn fy nghof wrth iddo ofyn y cwestiwn ingol, 'Lle mae Abercuawg heddiw? Lle gallwn ni fynd i glywed y cogau yn canu?'

Bryd hynny, wyddwn i ddim am ei ddiddordeb neilltuol mewn adar, ond o ddarllen *Abercuawg* eto, byddwn yn canfod cymaint ynddi sy'n nodweddu R S Thomas, ei gariad – neu ei hiraeth – am y Gymru Gymraeg, ei ddiddordeb mewn natur a materion gwyrdd, a'r ddawn ddiamheuol honno, fel yr oedd gan Waldo, i gyfeirio at bethau mwyaf tryloyw y byd ysbrydol.

Ddaru o ddim dewis y llwybr hawdd. Mae'r teyrngedau a'r portreadau sy'n ei ddisgrifio fel meudwy yn bell ohoni. Ym 1982, a Chymdeithas yr Iaith yn cynnal ymgyrch yn erbyn marinas, dyma ni'n galw rali ar sgwâr Pwllheli, fel roedden ni wiriona. R S Thomas oedd un o'r rhai a gytunodd i annerch. Gellir cyfrif ar un llaw faint o feirdd Cymru fyddai'n fodlon annerch rali, cadw o'r neilltu a sylwebu o hirbell yw eu dull hwy. Ond yn ei gôt ddwffwl laes, fe afaelodd R S yn y meic a sefyll o flaen y dorf. Storm o wawd gafodd o. Roedd y gweddill ohonom yn diodde'r un gwawd, ond rywsut mae derbyn gwawd yn haws pan mae gennych wallt hir a denims. Distawodd R S Thomas am dipyn ac edrych i fyw llygaid y rhai oedd yn gwamalu, 'Dydw i ddim yn disgwyl gwell gennych – yr un gwawd roddodd pobl y dref hon i Driawd yr Ysgol Fomio genhedlaeth o'ch blaen chi.' Ew, roedd o'n gallu ei rhoi hi.

Cymharodd sawl un ef i Saunders Lewis, ond wfftio'r gymhariaeth wnaeth ef. Er hynny, roedd o'n un o gydnabod Saunders. Wrth y dramodydd y cyfaddefodd R S unwaith ei deimladau o euogrwydd am na allai farddoni yn Gymraeg. Rhoddodd Saunders Lewis ei fraich ar ei ysgwydd ac ateb, 'mae'r farddoniaeth fwyaf yn ganlyniad i dyndra fel yr un a brofwch chi.'

Mewn ralïau CND, mewn achosion dyngarol, mewn cyfarfodydd cenedlaetholaidd, fe ddangosodd R S ei ochr yn eofn. Aeth un cam ymhellach a chefnogi Meibion Glyndŵr. Yr oedd hwnnw'n un cam yn ormod i lawer ohonom. Pan holwyd R S ynglŷn â hyn mewn cyfweliad flynyddoedd yn ddiweddarach, nododd fod yn rhaid i rywun ddweud pethau eithafol. 'Oni wnewch chi hynny, does yna neb yn cymryd sylw o fardd.' Mi gymron ni sylw ohono bryd hynny beth bynnag, ac mi bechodd sawl un.

Unwaith y cefais fwynhau ei gwmni dros rai dyddiau. Cafodd rhai ohonom wahoddiad i Ŵyl ym Marcelona bum mlynedd yn ôl, gŵyl oedd yn pontio diwylliant Cymru a diwylliant Catalunya. Ymhlith y gwesteion, yr oedd R S Thomas a Betty. Dydi dyn mor bigog ag o ddim yn cynnig ei hun fel cwmni delfrydol amser brecwast, ond fe brofais i'r gwrthwyneb.

Roedd o'n ŵr rhadlon a difyr, a sylweddolais mai dipyn o jôc oedd y surni cyhoeddus. Ganwyd R S cyn oes 'y Ddelwedd', a doedd ganddo fawr o amynedd gyda gohebwyr a phobl y cyfryngau. Os oeddent am ei bortreadu fel hen ŵr blin, eu problem hwy oedd honno.

Llynedd, lansiodd Sain recordiad o R S Thomas yn darllen ei gerddi. Mewn stafell ym Mhortmeirion, roedd hufen y byd llenyddol wedi dod, ynghyd â llawer o adar brith. Un peth oedd pob un ohonom ei eisiau – perfformiad byw prin gan y bardd yn adrodd ei gerddi. Daeth yr eiliad dyngedfennol, ac R S yn sefyll o flaen pawb efo'i dei coch fel llanc ar fin rhoi perfformiad. Meddai, 'maen nhw eisiau i mi ddarllen cerdd i chi, ond dwi wedi mynd yn rhy hen. Os ydych chi eisiau clywed y cerddi heb besychiad bob yn ail llinell, prynwch y casét – mae o'n well. Mae Sain wedi gwneud job wych o ddileu'r peswch.'

Safodd pawb yn stond, eu siom yn amlwg. Yna dechreuodd rywun chwerthin a bu raid i bawb ymuno. Roedd y cena wedi ein dal ni eto.

Y tro olaf i mi ei weld, roedd o'n siopa ar y stryd ym Mhorthmadog, bag plastig yn ei law, ac yn ei fyd bach ei hun. Ro'n i eisiau mynd ato a dweud cymaint o foddhad a gefais o'r recordiad. Ond doeddech chi ddim yn gwneud pethau felly efo R S. Cadw hyd braich oedd orau.

Tybed beth a ddywedai wrthyf fore Mercher, o weld criw yr iaith yn eistedd ar ben mast? Doedd ganddo ddim diddordeb mewn dulliau'r byd modern o gyfathrebu. Eto, byddai criw o Gymry yn anghytuno efo un o'r cwmnïau rhyngwladol mwyaf yn y byd wedi ennyn ei gydymdeimlad. Mi fydda fo wedi dod atom at waelod y mast, ac yn ei ffordd dawel, wedi mynegi cefnogaeth. Yna mi fydda fo wedi ei heglu hi ymaith ar draws y cae, a fydda neb yn gwybod beth oedd yn digwydd tu mewn i'r Ymenydd Mawr.

30 Medi, 2000

Cofio cawr chwedlonol hynaws

Mathonwy – wyddwn i ddim am neb arall o'r enw hwnnw. Fo oedd yr unig un. Ac oherwydd hynny, neu oherwydd ei oedran mawr, mi fyddwn i'n meddwl amdano fel un o'r duwiau, yn perthyn i oes aur bellach, ac yn rhywun anweledig.

Fe'i ganwyd ar droad y ganrif, yma yn Nyffryn Nantlle, yn fab i chwarelwr ac yn nai i neb llai na Silyn. Fe roddwyd iddo anian bardd ac ef a enillodd Gadair yr Eisteddfod Genedlaethol ym 1956.

Wedi hynny, daeth sawl cyfrol o gerddi ganddo a phedwar casgliad o ysgrifau.

Fel golygydd *Y Faner* y deuthum i wybod amdano, pan oedd cenedl y Cymry yn gallu darllen a phan gaem ein bwydo â phethau rheitiach na chomics yn llawn sôn am y cyfryngau.

Gwnaeth waith clodwiw o olygu'r *Faner* am dros chwarter canrif, o ddiwedd y Rhyfel tan ganol y Saithdegau. Ei gyfaill mawr oedd un arall o hogia Dyffryn Nantlle, Gwilym R.

Tua blwyddyn yn ôl i'r Pasg, dyma gerdded i gyfeiriad Cwm Silyn i gael gweld man geni Silyn a Mathonwy. Yr oedd yr eira yn dal yn isel ar y mynyddoedd, Yr Wyddfa'n glaer wyn, ond yr oedd yr awyr yn las a haul gwan Ebrill yn llwyddo i wenu. Wedi cyrraedd Pen Cymffyrch, dyma geisio lleoli Brynllidiart, ond does fawr i'w weld o'r cartref bellach ar wahân i bentwr o gerrig.

'Fferm unig a thra neilltuedig a diarffordd ar silff o gorsdir wrth odre'r mynydd ar ucheldir llwm a moel,' yw'r modd y disgrifiodd R Alun Roberts y lle, yntau'n byw dafliad carreg o'r fan yng Nglan-y-Gors, ac mae'r frawddeg foel hon yn cyfleu naws y lle.

I Nebo yr âi plant y fan hon i'r ysgol, cyn bod sôn am gwricwlwm cenedlaethol nac asesu plant na dim o'r fath. Ond aeth Silyn yn ei flaen i gael gradd MA, tyfodd Mathonwy yn llenor a daeth R Alun Roberts yn athro Llysieueg mewn Prifysgol, sy'n gwneud i chi ddyfalu beth ydi hanfod 'addysg dda'.

Efallai mai cerdded llwybrau Pen Cymffyrch, Cwm Pennant a Dôl Pebin roddodd anian bardd iddynt. Does dim dwywaith fod hud arbennig yn y bröydd hyn.

Flynyddoedd yn ddiweddarach, yr oedd Mathonwy i ddwyn y daith ar y gweundir yn ôl i gof:

'Byddai gan weunydd a chors a mawnog ryw afael ryfedd arnaf pan oeddwn yn blentyn. Cofiaf am lawer gwyllnos o Fai tywyll pan fyddai'r awel oer yn plygu plu'r gweunydd ac yn brathu i'r byw blentyn y tyddyn mynyddig wrth iddo gyrchu'r buchod drwy lafrwyn a chors i'w godro fin hwyr. Byddai'r peth yn felys o brofiad o gofio aelwyd gynnes yn dilyn bob noswyl.'

Y mae 'Gweunydd' yn berl o ysgrif, ac yn datgelu rhyw hiraeth chwerw felys. Collodd y gweunydd eu hud, ac eto yr oedd yn ddigon onest i gyfaddef:

'Na, nid hwy sydd wedi heneiddio ond myfi. Nid arnynt hwy y mae'r bai. Y blynyddoedd sydd wedi fy newid i – dyna'r drwg.'

Ysgrifennwyd y geiriau hyn cyn fy ngeni i, ac yr oedd y dewin hwn yn teimlo'n hen bryd hynny.

Fis Tachwedd y llynedd, daeth Cledwyn Jones i Gylch Llenyddol Dyffryn Nantlle i sôn am feirdd dylanwadol ei filltir sgwâr, ac wrth gwrs yr oedd Mathonwy Hughes yn un ohonynt.

Yr oedd gan Cledwyn Jones atgof plentyn o'r cawr hwn o

ddyn yn cario sach o flawd ar ei gefn i fyny'r llwybr i Frynllidiart. Bu'r sgwrs honno yn ddigon o symbyliad i mi benderfynu mynd i weld y dewin. I ffwrdd i Ddinbych â mi.

Cyfeiriad yn unig oedd gen i, dim llythyr, dim unrhyw esgus i dalu ymweliad. Ond wrth guro ar ddrws ei gartref yn Ninbych ar noson dywyll o Dachwedd, yr unig beth oedd gen i oedd penderfyniad – yr oeddwn am ysgwyd llaw â'r cawr. Ymhen hir a hwyr, agorodd drws y tŷ drws nesaf. 'Does yna neb adre,' oedd y neges, 'maent ill dau yn yr ysbyty.'

Mi fuo ond y dim i mi droi am adre, ond oherwydd yr elfen styfnig yn fy natur, mi fentrais i wneud y daith i lawr y lôn i'r ysbyty.

Wyddwn i ddim pa mor wael oeddynt, wyddwn i ddim a gawn i ganiatâd i'w gweld. Dim ond wedi canfod yr ysbyty a sefyll wrth y dderbynfa y sylweddolais mor hy yr oeddwn.

Rhaid oedd gofyn yn Saesneg, ac ni allwn ddweud 'mod i'n perthyn o gwbl. Yr oedd hanner canrif yn ein gwahanu a'r unig gysylltiad rhyngom oedd ein bod yn perthyn i'r un genedl.

'Go through. Mr and Mrs Hughes are in the day room,' meddai'r weinyddes.

Dyna pryd y sylweddolais nad oeddwn i erioed wedi cwrdd â'r un o'r ddau o'r blaen. Sut fyddai'r cawr yn edrych?

Yn ffodus, dau yn unig oedd yn y *day room*. Gŵr a gwraig. Gŵr tal iawn. Mentrais.

'Mathonwy?' a daeth gwên fawr i'w wyneb. Cyflwynais fy hun ac egluro fod fy nhaid yn gyfeillgar ag o yn nyddiau'r WEA. Nid oedd angen chwilio am esgus pam y deuthum i'w weld. Yr oedd y ddau yn llawn croeso.

'Nid fi sy'n sâl,' prysurodd i egluro. Yr oedd ei wraig angen triniaeth, a doedden nhw ddim am adael Mathonwy ar ei ben ei hun.

Cefais amser difyr yn eu cwmni ac addewais alw eto.

Pwysleisiodd Mrs Hughes y byddent yn ôl adref pan fyddwn yn galw eto.

Soniais am fy nhaith i Frynllidiart, ac ar y ffordd adre, ro'n i'n dyfalu fyddwn i'n anfon y llun o'r murddun iddo ai peidio. Ai gwell gan Fathonwy oedd cofio'r fan fel ag yr oedd? Anfonais air o ddiolch am gael eu gweld, ond cadwais y llun. Os oedd hiraeth yn brathu ym 1957, sut fydda fo'n teimlo bellach?

Mae'n rhaid 'mod i wedi colli'r bwletin newyddion ddydd Sadwrn dwytha. Galw heibio i nghartref fy hun ddaru mi, a chlywed y frawddeg: 'mae Mathonwy wedi marw'.

Ydi cewri yn gallu marw? Ar un ystyr, yr oedd wedi marw ers blynyddoedd. Eto, roeddwn wedi cael picio i'r nefoedd i'w weld ac ysgwyd llaw ag o. Bellach, roedd y drws wedi cau. Bu farw ei wraig hefyd, ychydig wythnosau ynghynt.

'Bu farw Mathonwy.' Mae'n swnio fel brawddeg ar ddiwedd un o geinciau'r Mabinogi. Ac addas yw hynny. Yr oedd yn ddiwedd chwedl.

17 Mai, 1999

Dyn y dafarn a gadwodd
yn driw i'w gred

Roedd o'n wahanol i'r gweddill ohonon ni stiwdants. Roedd
ganddo fwstash yn un peth.

Nid acen ysgol Rhydfelen oedd ganddo, ond tafodiaith y
Cymoedd oedd yn ddieithr i'r glust.

Roedd o'n hŷn na ni yn y flwyddyn gyntaf, ond oherwydd
rhyw amryfusedd yn ei yrfa, roedd o'n rhannu tiwtorials
Athroniaeth efo ni'r glas. Lwc ei fod o, dim ond tri ohonom
oedd yn y dosbarth – John Elfyn, Rod Barrar a minnau.

Rhyw olwg ddigon niwlog fyddai ar John Elff a fi, ond
byddai Rod yn dadlau efo'r darlithydd. Edrych mewn syndod
at ei hyfdra wnai'r ddau arall ohonom wrth i lygaid tanbaid
Rod fflachio, 'chi methu gweud hynny, – diawch, dyw e ddim
yn wir!'

Doedden ni rioed wedi clywed neb yn siarad felly efo
athro.

Yfed oedd arbenigedd mawr Rod Barrar yn y coleg.

Mae stiwdants yn gallu bod yn bethau cïaidd, a syniad
myfyrwyr Aberystwyth o ddigrifwch yn gyson oedd ceisio
paru'r anghymarus.

Beth am geisio fy mharu i, llwyrymwrthodwr ddiniwed o'r
Gogledd efo'r yfwr chwedlonol o Nelson, Rod Barrar?

Roedd hi'n jôc dda. Ddaru'r tric ddim gweithio, ond o
leiaf fe roddodd y cyfle inni siarad.

Cofiaf ef yn dweud iddo fynd efo'i dad, fore trychineb
Aberfan, i helpu cloddio yn y rwbel. Roedd o'n dod o fyd
gwahanol i mi.

Un o'i ffrindiau mawr oedd Dafydd y Dug, ac yn y Llew

Du, mi fydde criw ohonyn nhw, sosialwyr penboeth oedd yn arddel yr FWA, yn canu eu baledi.

O fewn dim yr oedd Rod yn yr ysbyty gyda effeithiau goryfed.

Ond wedi'r gwaharddiad ar yfed alcohol ddod i ben, dathlodd Rod y rhyddhau gyda pheint a dychwelyd i'r 'hen ffordd o fyw', chwedl Edward H.

Un olygfa nad anghofiaf yw'r noson yr aeth llond bws ohonom, fyfyrwyr Aber, i groesawu Aled Eirug o garchar Abertawe.

Yr arferiad y pryd hwnnw oedd cyrraedd cyn hanner nos, yna cynnal gwylnos tu allan i'r carchar nes i'r arwr gael ei ryddhau.

Roedd o'n gallu bod yn amser maith a diflas, a rhaid oedd difyrru'n hunain.

Neidiodd pawb o glywed rhywun yn dyrnu ar ddrysau anferth y carchar.

Rod oedd yno, fel petai wedi colli ei bwyll, 'let me in!' gwaeddodd, 'Let me in!' Roedd hi'n bedwar o gloch y bore. *'I did it! Let me in! I did the Great Train Robbery!'*

Wn i ddim beth oedd y wardeiniad yr ochr arall yn ei feddwl.

Pan adewais Aberystwyth, collais gysylltiad gyda'r criw, a rhyw chwe mlynedd yn ddiweddarach, roeddwn yn cychwyn cwrs ymarfer dysgu yn y Coleg Normal.

Roedd hi'n flwyddyn bwysig i bobl oedd yn methu gwneud syms. Hon oedd y flwyddyn olaf i gael tystysgrif dysgu os nad oeddech yn berchen 'Lefel O Maths'.

Teimlwn yn llawer hŷn na gweddill y myfyrwyr nes i'r drws agor a daeth chwa o'r gorffennol i mewn, neb llai na Rod Barrar.

'Be wyt ti'n da yma?' gofynnais mewn rhyfeddod. 'Dwyt ti rioed yn dod ar y cwrs?'

Oedd, mi roedd o. Roedd hi'n anodd cael gwaith yn Nelson, ac roedd yn rhaid ceisio gwneud rhywbeth ohoni.

Doedd ganddo yntau ddim y Lefel O Maths.

Ond gyda'i wallt blêr, ei fwstash trwchus a'i wisg ffwrdd â hi, doedd o ddim yn edrych yn ddeunydd athro.

Cwrs ysgol gynradd oedd o ac roedd yn rhaid i bawb ddewis pwnc i ganolbwyntio arno – 'Tegannau' oedd fy newis i, 'Anifeiliaid y fferm' oedd dewis rhywun arall, 'Lliwiau', 'Siapiau', 'Ein Tŷ Ni'…

'Rod, beth yw eich pwnc chi?'

'Glo, Miss.'

'Peidiwch â bod yn wirion. Pwnc i blant bach ddylai o fod.'

Ond dysgu am lo oedd Rod eisiau ei wneud, sef y dylanwad mwya ar blant bach Nelson, a dyna ddaru o.

Aeth y blynyddoedd heibio, ac ymhen tua deuddeng mlynedd, ro'n i'n siarad yn un o ysgolion Cymraeg y cymoedd.

Daeth un ferch fach ataf a dweud wrthyf fy mod yn adnabod ei thad. Ei chyfenw oedd Barrar. O'r diwedd, roedd y dyn wedi setlo i lawr.

Fe'i gwelais mewn Eisteddfod rai blynyddoedd wedyn a dyma'r ddau ohonom yn cymharu ein gwahanol yrfaoedd.

Fuo fo ddim yn athro am yn hir. 'Gwaedu fisitors,' oedd o, meddai.

'Fisitors? Yn Nelson… yng Nghymoedd y De?'

Ie, roedd o wedi cael gweledigaeth. Mewn hen lofa, roedd criw ohonynt wedi ffurfio mudiad cyd-weithredol ac wedi ffurfio llechwedd dringo tan gamp.

Roedd cyfoethogion Caerdydd a thu hwnt wedi gwirioni, ac roedden nhw'n talu trwy eu trwynau i gael dringo tipyn o raff mewn hen bwll.

'Grêt te?' meddai Rod.

Roedd yr hen ddosbarth bwrgeisaidd wedi ecsploetio'r

Cymoedd i dyllu am lo, a bellach roedd y proletariat yn cael talu'r pwyth yn ôl.

'Ein tro ni i'w ecsploetio nhw ydi e'n awr. Fydde Marx yn falch ohonon ni. *Long live the revolution!*' meddai a cherdded ymaith.

Choeliais i 'run gair. Dyna'r tro diwethaf i mi ei weld.

Teimlais gywilydd pan ddywedodd rhywun wrthyf fod y stori yn hollol wir, a bod Rod Barrar wedi cyflawni gweledigaeth.

Y rwdlyn hoffus hwnnw oedd mor hoff o'i beint.

Tra roedd pawb arall wedi gwerthu ei enaid i arian a statws, roedd hwn wedi cadw'n driw i'w gred.

Dydd Iau cyn Dolig, roedd criw ohonom yn Glyntwrog yn Llanrug yn mwynhau cinio Dolig.

'Dewch, dyna oedd yn stori drist te, hogia. Rhen Rod Barrar wedi ein gadael.' Roedd y manylion yn amwys, ond roedd o wedi cael trawiad neu rwbath. Roedd sawl un wedi ei weld yn Rali Cymdeithas yr Iaith ym mis Medi.

Dechreuodd y straeon amdano lifo. Roedd gan amryw gof ohono, a'r atgof hwnnw yn ddoniol, yn ffraeth ac yn ymwneud yn aml iawn â'r dafarn.

Roedd o'n resyn ei fod wedi marw yn weddol ifanc, ond doedd o ddim yn sioc fawr o ystyried bywyd y creadur.

Yn sydyn, teimlais yn hen iawn. Teimlais fel rhywun mewn stori, ar derfyn blwyddyn, yn dwyn atgofion am hen gydnabod.

Fo yw'r cyntaf o'm cyd-fyfyrwyr i farw, a nes profi'r brofedigaeth gyntaf, mae'n anodd credu fod stiwdants yn marw.

Yn enwedig rhai fel fo. Roedd o mor llawn bywyd.

A fedra i ddim anghofio'r angerdd yn y llygaid tanbaid oedd wastad yn tarannu yn erbyn dicter ac yn huawdl yn erbyn anghyfiawnder.

Mae colli'r fath ddyn yn golled aruthrol i Gymru.

Tase ni wedi ein breintio gyda mwy fel fo, nid hanner asembli fase ganddon ni.

Na, tase Rod Barrar wedi cael ei ffordd ei hun, mi fasa ganddo ni Senedd gyflawn yn yr Hen Gyfnewidfa Lo, mi fyddai'r Faner Goch yn chwifio ochr yn ochr â'r Ddraig Goch, a bydde pob cofeb i gyfalafwr wedi ei chwythu yn racs jibidêrs.

5 Ionawr, 2002

Mae'n chwith ar ôl y Rebel Mawr

Braidd yn ddi-seremoni oedd ei ymadawiad yn y diwedd, wel – cwbl ddi-seremoni a dweud y gwir.

Heblaw am y pwt ar 'Post Prynhawn', fyddwn i ddim yn gwybod ei fod wedi ein gadael. Cafwyd rhai teyrngedau hyd braich, a dyna'r cwbl. Roedd Elwyn Jones wedi marw, a hynny yn frawychus o ifanc – cyn ei fod yn drigain oed.

Ac mae colled i'w theimlo, oes. Colled am gymeriad lliwgar fu'n britho'r ffurfafen Gymreig. Meddai cyfaill, 'Dewch, am eironi. Elwyn Jones yn marw ac Angharad Tomos yn cael babi... Un niwsans yn ein gadael, a niwsans arall yn cyrraedd.' Fe gymrodd hi beth eiliadau i mi dderbyn hyn fel compliment. Os oes un gair yn disgrifio Elwyn Jones, yna 'niwsans' ydi hwnnw. Ac mi fu'n niwsans cyson yn ystlys pawb a phopeth am flynyddoedd maith.

Mae angen argyhoeddiad i fod yn Niwsans, a dyfalbarhad – a chryn dipyn o aberth. Mae angen egni ac amynedd, a dewrder. Ac er na fyddwn i wedi cysylltu'r rhinweddau hyn gydag Elwyn Jones tra roedd yn fyw, rydw i'n fodlon gwneud hynny rŵan.

Rhyw greaduriaid gwael fel yna ydyn ni, heb ddigon o raslonrwydd i gydnabod cryfderau ein gwrthwynebwyr, nes eu bod tu hwnt i glyw.

Dydw i ddim yn cofio pryd ddaru ein llwybrau ni groesi am y tro cyntaf, ond roeddan nhw'n bownd o wneud. Er ein bod yn Gymry pybyr, roedden ni'n dod o gyfeiriadau gwleidyddol hollol wahanol. Roedd ein magwraeth a'n gwreiddiau yn debyg, ond fel dau eithafwr, aethom i eithafion gwahanol. A phan ddaethom i gysylltiad, fe ffrwydrodd y ddau ohonom.

Chwarae teg, roedd ganddo fo achos i ffrwydro. Un o'r pethau cyntaf a wnaethom oedd torri mewn i'w swyddfa a chreu andros o lanast. Ar y pryd, roedd y Ceidwadwyr mewn grym, ac roedden ni dan yr argraff ein bod yn gweithredu yn erbyn gelyn go fawr. Dipyn o sioc inni oedd gweld bocs sgidiau o swyddfa a honno i bob pwrpas yn wag. Doedd yna fawr o ddim i'w ddifrodi – Iwnion Jac ar y wal a llun o Margaret Hilda – a dyna'r cwbl.

Cofiaf sylwi ar ei ddyddiadur a meddwl ein bod wedi cael sgŵp. O agor cloriau hwn, byddai holl amserlen Ceidwadwyr y Gogledd yn cael ei ddatgelu, a dyna sail i ymgyrch o erlid y Ceidwadwyr am fisoedd… Agorais y clawr a chanfod ei fod yn wag. Yr oedd un neu ddau bwt wedi ei nodi am gyfarfodydd y Conservative Ladies Association, a dim mwy. Cofiaf yr anghrediniaeth a deimlais, fel petai'r Lefiathan yr oeddem yn brwydro yn ei erbyn wedi troi yn bry genwair truenus. Efallai y dylwn fod wedi dechrau tosturio wrth Elwyn Jones bryd hynny.

Ond nid tosturi a deimlem, ond gwawd. Wrth baratoi achos llys, aeth Elwyn Jones i drafferth fawr i drefnu arddangosfa i'r wasg o'r pethau yr oeddem wedi ei racsio. Chwerthin ar ei ben ddaru ni. Pan daeth i'r llys i dystio yn ein herbyn, chwerthin ar ei ben ddaru ni eto. Pan gollodd pob rheolaeth ar ei dymer a ffrwydro, doedd dim pall ar ein chwerthin. Doedden ni ddim yn ofni, roedd gormod o ddiniweidrwydd ac abswrdiaeth yn perthyn iddo i godi ofn ar neb.

Ond mewn rhaglen ddiweddar ar hanes Cymdeithas yr Iaith, cyfaddefodd Elwyn Jones ei hun fod cryn dipyn o actio yn perthyn i'w berfformans. Roedden ni yn mynd drwy ein defodau ni ac yn mynd dros ben llestri, ac roedd o'n gwneud yr un peth. Roedden ni yn actio protestwyr iaith, ac roedd o'n actio'r asiant Torïaidd. Yr unig wahaniaeth oedd fod criw ohonom ni, a dim ond un ohono fo. Efallai y dylwn fod wedi ymdeimlo ag unigrwydd Elwyn Jones bryd hynny, ond ddaru mi ddim.

Y gwir amdani mwy na thebyg oedd fod y Ceidwadwyr mawr yn Lloegr yn chwerthin ar ei ben hefyd. Er gwaethaf y lluniau ohono fo efo'r Ddynes Haearn, olwyn fechan drybeilig oedd o ym mheiriant y Torïaid. Er mor ffyddlon a fu i'r blaid gydol ei fywyd, bach iawn o gydnabyddiaeth a gafodd. Mae'n berthynas sy'n eich atgoffa o gi dychrynllyd o ufudd yn llyfu traed ei berchennog.

Ond fe fu'n driw eithriadol i'r Ceidwadwyr. Diawch, doedd yna neb arall yn y Gymru Gymraeg i eiriol ar eu rhan. Waeth befo beth oedd y rhaglen na'r cyfrwng, Elwyn Jones oedd wastad yn sefyll yn y bwlch i amddiffyn plaid hollol amhoblogaidd, ac ni fyddai ei gyfraniad byth yn gymhedrol. Roedd o'n credu i'r byw yn yr Ymherodraeth Brydeinig, roedd o'n teimlo i'r byw pan oedd cenedlaetholwyr yn ennill tir, roedd o'n eithafol o daeog, ac yn perthyn i'r hen, hen do o Gymry a deimlai yn israddol. Bellach, maent wedi marw o'r tir.

Ond mi wnaeth ei hun yn niwsans, yn niwsans cyson er mwyn ei blaid. Mi ddaru ddyfalbarhau, yn y Wasg, ar y radio a'r teledu, ac yn ei berson, i beidio gadael i gyfle fynd heibio lle gallai roi cic i genedlaetholdeb a dyrchafu Prydeindod. Ysgrifennodd hunangofiant tanllyd, dan y teitl, *Y Rebel Mwyaf*.

Ac mae gen i un cof ohono lle gwnaeth o dro da â mi. Roedd y ddau ohonom wedi bod ar raglen yn Bryn Meirion yn chwythu bygythion at y naill a'r llall, a dyma gyrraedd yr amser anghyfforddus hwnnw wedi rhaglen radio pan mae'r meic yn cael ei ddiffodd ac mae'r cynhyrchydd yn ffarwelio â chi. Cerddodd Elwyn Jones a minnau i lawr y grisiau ac allan drwy'r drws, heb ddweud gair. Doeddwn i yn bendant ddim yn mynd i iselhau fy hun i siarad ag o, cwrteisi neu beidio. Wrth agor y drws, gwelais ei bod yn bwrw eira yn reit drwm, a doedd gen i ddim cysgod. Agorodd Elwyn Jones un o'i ymbarels enwog, a cherddais o'i flaen yn dal i'w anwybyddu. Meiriolodd yntau a deud, 'waeth i chi ddod o dan hon yn lle gwlychu'. Bu'n rhaid i mi lyncu malchder a chysgodi gydag o. Ddaru mi rioed deimlo mor wirion, a gweddïais na fyddai neb o'm cydnabod yn mynd heibio. Byddai wedi gwneud cartŵn gwych...

Mae'n chwith ar ei ôl, a gobeithio iddo gael peth hapusrwydd yn ei fywyd. A hithau'n wythnos etholiadau'r Cynulliad Cenedlaethol, mae hi'n dawel hebddo. Aeth y Ceidwadwyr yn rhy gymhedrol iddo yn y diwedd, ac ymaelododd â phlaid yr UK Annibynnol. Byddant hwythau debyg wedi ei ddefnyddio.

Erbyn diwedd yr wythnos, bydd aelodau newydd y Cynulliad wedi eu hethol, ond faint o gymeriadau lliwgar fydd yn eu plith sydd gwestiwn arall. Tydi hi ddim yn ffasiynol i fod yn Niwsans bellach. Dydi hi ddim yn wleidyddol gywir i fod yn eithafol. Wn i ddim a ydyw yn iawn bod ar dân dros bynciau heddiw. Ffasiwn y dydd yw ymddwyn yn hynod gymhedrol a chael y *soundbites* iawn. Nid beth sy'n eich corddi chi sy'n bwysig, ond chwip eich plaid. Diflannodd personoliaethau, aeth sêl ar ddifancoll, ac mae gwleidyddiaeth wedi troi yn rhywbeth mor llwyd. O am dipyn o argyhoeddiad a thanbeidrwydd, hyd yn oed gan eich gwrthwynebwyr.

Diolch i Elwyn Jones am ein tanio o'n diymadferthedd, ein gwylltio ddigon i beri inni ymateb, ac am fod yn Niwsans cyson er mwyn ei gredoau.

3 Mai, 2003

Cofio 'hen rebel' urddasol

Gweld ei enw yn y papur ddaru mi. Fydda i byth yn edrych ar
y rhan yna o'r papur fel rheol, ond am ryw reswm, mi
wneuthum y diwrnod hwnnw.

Cefais syndod o ddarllen ei enw. Nid oedd wedi gwneud
dim byd eithriadol, dim ond wedi marw. Ac mi deimlais
synnwyr dychrynllyd o golled.

Rydw i'n ceisio cofio pryd y deuthum i'w adnabod yn
gyntaf. Mae gen i ryw gof mai yn Ysgol Haf y Weinidogaeth
Iachau ydoedd. Yr wythnos honno, ro'n i'n dathlu fy mhen-
blwydd yn 21 oed. Pan ydych chi yr oed hwnnw, mae 21 oed
yn teimlo'n ofnadwy o hen, a'r unig gysur yw fod pawb arall
yn hŷn na chi.

Yr oedd Arthur Edwards yn ymddangos yn hen eithriadol.
Cofiaf pawb yn canu Pen Blwydd Hapus i mi a fy ffrind: roedd
hithau'n dathlu yr un pen blwydd ddiwrnod o'm blaen.

Hyd yn oed yr adeg honno yr oedd rhaid i Arthur Edwards
fynd un cam ymhellach. Safodd ar ei draed a chyhoeddi i'r byd
a'r betws ei fod ef yn priodi.

Croesodd ein llwybrau yn reit aml wedi hynny, ond bob
tro yn annisgwyl.

Ddechrau'r Wythdegau, yng nghanol berw brwydr y
Sianel, aethom i lawr i Lundain, llond bws o stiwdants, i
eistedd ar ganol y ffordd. Yr oeddem yn cyfarfod wrth
golofn Nelson, ac yn cwyno fod cyn lleied wedi dod. Codais
fy mhen ac edrych i gyfeiriad yr Oriel Genedlaethol.

'Edrych pwy sydd wedi dod,' meddwn wrth gyfaill i mi.

'Pwy ydi o?'

'Arthur Edwards.'

Cofiaf y syndod ar wyneb fy nghyfaill: 'ydi o yn un ohonom ni?'

Ac yr oeddwn yn falch o gael dweud ei fod. Yr oedd gan Arthur fanteision arbennig mewn protest. Yng nghanol torf o rabsgaliwns, byddai'r heddlu yn mynd heibio iddo a'i anwybyddu. Hen ŵr wedi ei ddal ynghanol y sgarmes ydoedd, nes i'w lais pwyllog ddatgan: *'I'm one of them too!'*

Yr oedd llawer o bethau yn gwneud Arthur Edwards yn anghyffredin, ond ei nodwedd bennaf oedd ei fod o'n Gristion gloyw. Efo fo, roedd ei gyfarchiad, 'ydych chi'n dal i gredu?' yn golygu rhywbeth, ac wrth ddod â'i lais i gof yn awr, cofiaf ei 'r' unigryw.

Hawdd oedd credu mai Iesu Grist oedd ffrind pennaf Arthur, siaradai amdano yn gwbl gartrefol. Welais i rioed Gristion llai sych dduwiol chwaith. Iddo ef yr oedd bywyd yn antur ddifyr, yn ogystal â rhodd.

Ychydig o ffeithiau bywgraffyddol: fe'i ganed ym 1910, yn Sir Drefaldwyn, yn un o nythaid o blant. Cafodd y fraint o fod yn un o aelodau cyntaf yr Urdd. Bu'n brifathro Ysgol Llanrwst ac yn Llundain am gyfnod. Ef oedd un o lywyddion cynnar UCAC, a bu'r iaith Gymraeg yn agos at ei galon gydol ei fywyd. Ymgartrefodd yn y Rhyl, ac wedi gwaeledd maith ei wraig gyntaf, priododd Glenys.

Fyddwn i byth yn siŵr iawn pryd y byddai Arthur Edwards yn galw heibio, ond byddai'n gwbl annisgwyl bob tro.

Un o'r troeon hynny roeddwn yn y carchar. Roedd Mam wedi gwneud ei gorau i gysylltu â phob gweinidog Wesla y gwyddai amdano, a pheth cyffredin oedd clywed: *'there's a Minister to see you.'*

Un waith, Arthur Edwards a safai yn y *Visitor's Room*.

'Maen nhw'n meddwl mai gweinidog ydw i!' meddai. Gyda'i osgo urddasol, a'i ymddygiad boneddigaidd, hawdd oedd ei gamgymryd am un o weision yr Efengyl. 'Mi adawn iddyn nhw feddwl hynny, os ydi hynna'n iawn efo'r Arglwydd,' meddai. Rhywbeth arall barodd i'r 'sgriws' ddod i'r fath gasgliad oedd fod gan Arthur Edwards glamp o Feibl dan ei fraich. Agorodd hwnnw'n ofalus. Tu mewn iddo, roedd toriadau papur newydd am ymgyrch y sianel wedi eu gosod, a bûm yn edrych arnynt yn ddyfal. Byddai wedi gwneud ysbïwr tan gamp.

Yr oedd mor deyrngar i Gymdeithas yr Iaith fel y rhoddwyd swydd iddo – Ombwdsman Iaith. Cefais daith gofiadwy gydag o i'r Swyddfa Gymreig i weld Wyn Roberts.

Roedd Wyn Roberts wedi hen arfer gyda ni, ond roedd wynebu Arthur Edwards yn sialens wahanol. Edrych arno fel surbwch wnaeth y gweddill ohonom. Aeth Arthur Edwards ato ac ysgwyd ei law yn foneddigaidd. 'Sut ydych chi frawd?' gofynnodd, 'ga i roi un o'r rhain i chi?' Tract ydoedd o'i eglwys yn y Rhyl. Ni wyddai Wyn Roberts sut i ymateb. Nid oedd rhaid iddo feddwl yn hir. Mynnodd Arthur Edwards gychwyn gyda gweddi. Yna, aeth yn ei flaen i ddarllen englyn. Dyna'r ddirprwyaeth ryfeddaf y bûm yn rhan ohoni. Yr oedd agenda Arthur Edwards yn gwbl wahanol i unrhyw un arall.

Un waith galwodd heibio ein cartref ar berwyl go anghyffredin. Yr oedd â'i fryd ar gystadlu am y Gadair yn yr Eisteddfod Genedlaethol ac roedd wedi mynd yn ben set arno.

Daeth i'n tŷ ni i gael dipyn o dawelwch. Cafodd lonydd yn y parlwr, cafodd swper, ac roedd yn tynnu am hanner nos. Yn y diwedd, arhosodd y noson honno, a daliodd ati y diwrnod wedyn. Gyda balchder, gorffennodd ei awdl ac aeth adre. Llun ohono yr adeg honno yng nghanol ei bentwr o bapurau yw'r unig lun sydd gen i ohono. Biti na fasa fo wedi ennill.

Collais gysylltiad ag o am flynyddoedd wedi hynny, ac ni chlywn ddim o'i hanes ar wahân i ambell lythyr a cherdyn Nadolig gan Glenys ac yntau.

Wn i ddim beth ddigwyddodd i darfu ar y tawelwch, ond cyrhaeddodd llythyr yn ei ysgrifen hardd un dydd. Fe'i hatebais gan roi'r newyddion diweddaraf – fy mod bellach wedi symud i fyw ac wedi priodi. Gyda throad y post, daeth anrheg hael a'r wybodaeth ddifyr ein bod wedi priodi ar ddiwrnod ei ben blwydd yn 89 oed. Aeth fy meddwl yn ôl i'r cyhoeddiad syfrdanol a wnaeth ar ddydd fy mhen-blwydd yn 21 oed, ugain mlynedd ynghynt.

Rwy'n falch i mi alw i'w weld y llynedd. Yr oedd ei gorff yn go fusgrell ond ei feddwl yn chwim. A thu ôl i'r sbectol dew, yr oedd yr un direidi bachgennaidd yn cuddio.

'Dal i gredu, Angharad?'

Dyna oedd y tro olaf i mi ei weld. Chlywais i ddim amdano wedyn nes gweld ei enw yn y *Daily Post* – 'Arthur Hywel Edwards, yn dawel yng Nghrist'.

Euthum i'w gynhebrwng, a soniodd pawb am eu hatgofion ohono. Nid peth cyffredin mewn angladd yw cael y gweinidog yn hel atgofion am yr amser y cafodd ei restio yng nghwmni'r ymadawedig, a'r modd y buont fel 'Paul a Silas' yn rhannu'r un gell.

Gwn ein bod yn profi ymdeimlad aruthrol o golled, ond fedra i ddim meddwl am neb yn fwy cartrefol yn y Nefoedd. Antur fawr newydd i Arthur yw hon, a gallaf ddychmygu yr Hollalluog yn ei gymryd dan ei adain, ac yn brolio'n falch: 'un ohonom ni ydi o.'

Diolch am y fraint o'i adnabod.

10 Chwefror, 2001

Diolch Aled am y dagrau,
y dychryn, a'r gonestrwydd

Aled Ficrej oedd o i ni erioed. Mab Bob a Megan, fydda i'n ffrindia efo ein rhieni. MistarWiliasFicar oedd enw swyddogol ei dad, ac roedd o'n ddyn unigryw.

Weithia, mi fydda fo'n rhoi lifft adra i ni blant, pan na allai Mam ddod i'n nôl ni. Byddai'r pump ohonom yn gwthio ein hunain i'w gar bach, a mi fydda fo'n gofyn: 'i lle fasa chi'n lecio mynd?'

'Nunlle!' gwaeddem i gyd efo'n gilydd.

'Lle mae Nunlle, dudwch wrtho i…'

Ar y pryd, doedd rhywun ddim yn gallu llawn werthfawrogi ei hiwmor swrealaidd, ond roedd 'na rywbeth yn bendant yn od am y dyn. Ar un wedd, roedd o'n ddyn parchus a difrifol tu hwnt, ond ar yr un pryd, mi fyddai wrth ei fodd yn ein pryfocio a thynnu coes.

Un peth nad anghofiaf byth am MistarWiliasFicar oedd ei lais. Llais tawel oedd o, fel llais rhywun yn sibrwd.

Pan fyddai MistarWilias yn siarad, roedd o'n gwthio ei eiriau allan, fel petaent yn gyndyn o ddod. Fel plant, ddaru ni ddim meddwl ei fod o'n anhwylder o unrhyw fath. Rhan o bersonoliaeth hynod y Ficar oedd ei lais.

Ambell fore, mi fyddem yn cael aros yn y Ficerdy nes oedd hi'n amser mynd i'r ysgol. Roedd o'n dŷ hollol wahanol i'n cartre ni. Doedd na ddim plant yn rhuthro o gwmpas y lle yn afreolus, unig blentyn oedd Aled. Yr oedd trefn yn teyrnasu, a'r teulu fel teulu mewn stori. Yn lle pawb ar râs wyllt yn y bore, mi fydda'r triawd yma wedi gorffen brecwast, ac yn eistedd yn hamddenol. Un peth fyddai'n gwneud argraff arnaf oedd fod gan Aled amser i lenwi ei ffownten-pen cyn dal y bws. Roedd y fath beth yn foethusrwydd yn fy ngolwg i.

Cyn mynd i'r ysgol uwchradd, dwi'n cofio cael chwarae efo fy chwaer ac Aled, oedd yr un oed â hi. Mi ddaru ni ffurfio Clwb y Gwcw, beth bynnag oedd hwnnw, a'r cof sydd gen i o Aled yw creadur dyfeisgar oedd yn llawn gwreiddioldeb. O adnabod Megan ei fam, doedd hyn ddim yn syndod. Dynes fechan efo llygaid bywiog fyddai'n bencampwraig ar ddynwared oedd hi. Etifeddodd Aled yr un ddawn, yn ogystal â geirfa gyfoethog pobl Stiniog.

Wedi'r ysgol uwchradd, gadawodd Aled a mynd yn bell i ffwrdd i Gaerdydd i ddysgu bod yn Ficar ei hun, a dyma golli cysylltiad efo fo. Wedyn mi ddaeth y dyddia tywyll pan gyfeiriai pobl ato fel 'rhen Aled druan', a mi oeddech chi'n casglu nad oedd petha wedi troi allan fel y dylian nhw. Fel 'hwn a hwn druan' fydda nhw'n cyfeirio aton ni, blant Ysgol Dyffryn Nantlle, oedd wedi methu dilyn trywydd Bryn Terfel, Gerallt Pennant a'u tebyg. Roedd rhai ohonom yn canfod ein hunain yn gaeth i'r ddiod, mewn carchar, mewn ysbyty meddwl, a fydda 'na ryw ddirgelwch yn digwydd i'n perthynas efo Pobl.

Ond wedyn, mi ddechreuodd pobl sôn am Aled eto. Rhaid fod pethau'n gwella. Mi ddechreuodd sgwennu dramâu – rhai digon mentrus, rhaid cyfaddef, ond roedd o'n dod i sylw'r cyhoedd. Yn y diwedd, mi enillodd wobr yn y Steddfod Genedlaethol, ac mae hynny'n gwneud gwahaniaeth garw yng ngolwg Pobl.

Ddaeth o'n ôl i'r ardal yma, efo gwraig, a magu teulu, ac roedd o'n ddigon normal drachefn i bobl beidio sibrwd amdano. Gwaelu ddaru MistarWiliasFicar, a bu farw bedair blynedd yn ôl.

Nos Fawrth yng Nghanolfan Porthmadog, cafwyd noson na phrofais mo'i thebyg. Noson lansio llyfr Aled Ficrej oedd hi, cyfrol er cof am ei dad, *Rhaid i ti Fyned y Daith Honno dy Hun*, a Gwasg Pantycelyn wedi ei chyhoeddi.

Roedd y lle yn orlawn. Mi all nosweithiau lansio fod yn bethau digon syber, yn enwedig efo cyfrol goffa. Ond yr hyn a gafwyd oedd cyfuniad rhyfeddol o'r gwallgof a'r gwirion, y dwys a'r digri, chwerthin a dagrau.

Ar glawr y llyfr mae un o ddarluniau L S Lowry, 'Dyn yn edrych ar rywbeth', ac mae'r gŵr main yn ei gôt frown a'i het gron yn f'atgoffa rywsut o'r Ficar.

Yr hyn ddaw â llawer mwy o atgofion yw'r dyfyniadau o'r llyfr a ddarllenwyd gan Gwynne Wheldon. Rhwng y dyfyniadau, cafwyd sgwrs dreiddgar rhwng Aled a Janet Roberts. Gofynnodd iddo a oedd yn teimlo'n wahanol fel plentyn ysgol am ei fod yn 'fab y Ficerdy'. Un stori yn unig adroddodd Aled i wneud ei bwynt, ac roedd ei ateb yn crynhoi ysbryd fy hen ysgol.

Medda un o'r plant wrth Aled ar un o'i ddyddia cynta yn yr ysgol:

'Hogyn Ficar wyt ti?'

'Ia.'

'Deud bod 'na ddim Duw neu mi rown ni dy ben i lawr toiled.'

A gwadu ei Dduw fu raid i Aled Jones Williams y tro hwnnw.

Mae canmoliaeth frwd wedi ei roi i'r llyfr yn barod.

'Unigryw' oedd y gair ddefnyddiodd Gwyn Thomas, gan ddweud fod yn rhaid mynd yn ôl at Kate Roberts neu Garadog Prichard i gael safon i'w gymharu ag o. Caradog Prichard ddywedwn i, mae'r un elfen abswrd yn perthyn i'r ddau.

Dyma i chi damaid i aros pryd nes cewch chi afael ar gopi. Mae'r darn sy'n ei ragflaenu yn disgrifio ei dad yn cyfieithu i'w fab, wedi i hwnnw ganfod nad oedd pawb yn y byd yn siarad Cymraeg:

'Eich llaw chi'n twtsiad yn 'n llaw i fel dau air yn cydiad yn 'i gilydd i gychwyn brawddeg. I greu iaith eto. Brawddeg Gymraeg. Bob gafal. A dwi'n gafal yn 'ch llaw chi heno. Do's 'na na Chymraeg na Saesneg yn mynd i fedru'ch cyrraedd chi heno. Cyfieithwch i mi eto.'

Darllenwch o, da chi, fyddwch chi ddim wedi darllen dim byd yn union yr un fath ag o. Mi fydd 'na ddagrau – o bob math – yn llifo. Gonestrwydd sydd yn pefrio drwy'r llyfr, gonestrwydd sy'n dychryn. Ac mae'r gyfrol yn ddrych i syniadaeth waelodol Aled, am fywyd a marwolaeth, am gofio ac anghofio ac am ran dioddefaint mewn bywyd. Fe'n gorfododd i wynebu rhai agweddau o'r natur ddynol y basa'n well gennym eu hanwybyddu. Ochrodd gyda'r gwan a'r di-ymgeledd yn y byd 'ma, ac mae hynny'n gofyn dipyn o gyts – yn enwedig os ydach chi'n ficar yn y Gymru Gymraeg. Diolch Aled.

Mehefin 6, 2002

Hen longwr Torïaidd
a ddaeth yn ffrind mawr

Mi faswn i'n cael ffrae ganddo am sgwennu hwn. Hen lol fasa fo yn ei farn o. Ond tydi o ddim yma i'm ceryddu, felly mi sgwennaf.

Ddois i ddim i'w adnabod o tan rhyw bedair blynedd yn ôl. Mi gafodd fywyd lliwgar, gan glywed storïau'r môr gan ei daid a phenderfynu mai llongwr fyddai yntau hefyd. Ar wal ei stafell roedd ganddo'r llun enwog 'The boyhood of Raleigh', a dyna sut y dychmygwn ei fachgendod ef.

Crefais arno sawl gwaith i gofnodi ei fywyd ar dâp neu ar bapur, ond gwrthod ddaru o. Doedd ei fywyd o'n ddim busnes i neb arall.

Priododd ferch o Dde America, ond ni pharodd y briodas. Yn ystod yr Ail Ryfel Byd cafodd ei garcharu gan y Japaneaid, ac er na soniodd lawer am hynny, bu'n brofiad enbyd iddo. 'Un fegin' oedd ganddo fo, ac wn i ddim ai canlyniad i'r rhyfel oedd hynny.

I'r Torïaid y byddai'n pleidleisio, a doedd o ddim yn credu mewn Senedd i Gymru. Doedd o ddim yn fodlon ymddiried buddiannau'r wlad i'r 'hen bethau o'r Sowth'. 'Dydyn nhw ddim fath â ni,' fyddai ei ddadl. Mi fyddai ganddo farn blaen ar bopeth a doedd ganddo ddim ofn ei mynegi – wrth Dafydd Wigley nag wrth neb arall. Dyn plaen ei dafod oedd Richard Turner.

Fe'i magwyd gan ei nain ac aeth i'r ysgol yng Nghaernarfon. Ni chafodd erioed wers ar Hanes Cymru. Ar y môr, fe'i gwnaed yn gapten llong, ond fyddai o ddim yn hoffi i bobl ei alw yn Captain Turner. Wedi iddo ymddeol, dyma fo'n dechrau darllen am hanes ei bobl a'i wlad ei hun, a chael agoriad llygad. Cerddodd i swyddfa Cymdeithas yr Iaith yng Nghaernarfon un dydd a rhoi ei farn yn blaen ar be ddylai'r mudiad fod yn ei wneud. Dyna sut y deuthum i'w adnabod.

Tua'r adeg honno, ro'n i wedi cael chwilen yn fy mhen am unig ferch Llywelyn ein Llyw Olaf, ac yn teimlo'n gryf nad oedd dim ar gael yn Sempringham i gofnodi ei bywyd. Syniad Dic Turner oedd y gofeb lechen. Dywedodd wrthyf am nodi ar bapur beth a garwn ei weld ar garreg ac wedi i mi wneud hynny, aeth i lawr i Gei Llechi a chael gair efo'r dyn cerrig beddi. Fy ngwaith i oedd anfon apêl am arian i'r wasg, a chyn pen dim, roedd y job wedi ei gwneud. Sut oedd cael y garreg i Sempringham a chael caniatâd i'w gosod oedd y broblem nesaf.

Doedd hi ddim yn broblem i Richard Turner. Lapiodd y llechen a'i rhoi yng nghefn ei gar a gyrrodd yr holl ffordd i Sempringham. Yng nghanol seremoni i gofnodi wyth can mlynedd geni'r sant a sefydlodd yr eglwys, rhoddodd Dic Turner y gofeb yn nwylo Esgob Grantham a dweud wrtho am gofio Gwenllian hefyd. *'Leave it to me,'* meddai'r gŵr duwiol. Ychydig fisoedd yn ddiweddarach, roedd y gofeb yn ei lle.

Doedd o ddim mor llwyddiannus bob tro. Pan glywodd fod darn o'r groes oedd yn perthyn i'n Llyw Olaf yn cael ei chadw yn eglwys Palas Westminster, aeth i'w nôl i'w dychwelyd i Gymru. Ond er siom iddo, roedd wedi ei gosod yn y to a doedd dim posib ei dwyn oddi yno. Petai wedi ei gosod mewn lle mwy hwylus, byddai wedi bod yn stori ddiddorol.

Mi benderfynodd criw Hel Straeon wneud ffilm o stori Sempringham rhyw flwyddyn yn ôl, a dyma Mr Turner a minnau'n cael car wedi ei logi i fynd draw i ffilmio. Ddaru o ddim peidio siarad ar hyd y ffordd, a'r cwbl fedrwn i wneud oedd gwrando a gwenu. Y stori amdano yn mynd i gadw cwmni i dorrwr beddi oedd yr orau, a sut yr aeth yr angen am ddiod yn drech na hwy. Bu'r ddau yn yfed yn hapus tan iddynt syrthio i drwmgwsg a chysgu yn y fan a'r lle. Yn anffodus, wnaethon nhw ddim deffro nes i griw o alarwyr ddod at lan y bedd y bore wedyn a'u canfod yno. Stori arall oedd yr un am hers yn cael ei thynnu gan geffyl yng Nghaernarfon pan oedd Mr Turner yn fachgen bach. Roedd ceffyl y claddu yn wael, a'r unig geffyl ar gael oedd ceffyl y gasgen gwrw. Aeth popeth fel wats nes i osgordd yr hers gyrraedd y dafarn gyntaf, a stopiodd y ceffyl yn stond. Arferai gael llymaid o ddŵr o flaen bob tafarn, a gwrthododd symud nes iddo gael torri ei syched. Taith hir fu honno i'r fynwent gyda stop o flaen pob tafarn. Chafodd y ceffyl hwnnw mo'i ddefnyddio wedyn.

Roedd o'n llawn storïau. Yn ei gartref yn Hill Street, roedd y waliau wedi eu haddurno â lluniau o longau, lluniau teuluol a choeden deuluol mewn ffram. Roedd y silffoedd yn gwegian o gyfrolau hanes. 'Self-educated man ydw i,' meddai, 'a ches i ddim o hyn yn yr ysgol.' Yn aml fe fyddai yn fy ffonio gyda'r cyfarchiad, 'sut dach chi? Wyddoch chi fod Edward I wedi…' a doedd dim angen gofyn pwy oedd yna. Gwefr oedd gweld hanes yn dod yn fyw iddo a gweld ei waed yn berwi dros anfadwaith ddigwyddodd i'r Cymry ganrifoedd yn ôl.

Fe fyddem yn ffraeo yn aml, fel y byddai rhywun yn disgwyl efo dau mor styfnig a phengaled. Fel Wesla y magwyd Richard Turner, ond trodd tuag at yr Eglwys Babyddol wedi iddynt wneud tro da efo fo. Dechrau Gorffennaf, clywais ei fod yn y Ward Gofal Dwys yn Ysbyty Gwynedd. Pan euthum i'w weld, roedd wedi ei orchuddio mewn pob math o beipiau ac yn methu siarad. Fel pob morwr, roedd sawl tatw ar ei freichiau, ond fo oedd yr unig un welais i efo 'Nain' wedi ei gerfio ar ei groen. Gafaelodd ynof a'm cusanu.

Y tro olaf i mi ei weld, roedd yn edrych yn well ac euthum â rhaglen yr Eisteddfod gyda mi. Dangosais iddo fod cyfarfod i sefydlu cymdeithas i ofalu am gofeb Gwenllian. Gwenodd ac roedd bodlonrwydd yn ei lygaid. Erbyn Awst yr ail, roedd wedi marw.

Dyna'r cyfan ro'n i am ei rannu â chi. A gobeithio y caf faddeuant ganddo am feiddio rhoi pin ar bapur. Cofeb fechan yw hi i ffrind a hanesydd ymarferol.

Awst 24, 1996

Gwên a ffydd anorchfygol
yn foddion rhag digalonni

Anaml y byddai ei hwyneb yn llonydd. Roedd o'n llawn
mynegiant, fel arfer efo gwên lydan, groesawgar. Roedd o'n
wyneb hapus, yn bictiwr o rywun oedd yn mwynhau bywyd i'r
eithaf. Mi fyddaf yn colli ei gwên yn fwy na dim.

Eithafwraig oedd Sandra, Sam, neu 'hogan y Grêps',
Maentwrog. Ychydig iawn oedd yn ei hadnabod fel y
swyddogol Sandra Sherwood. Yr wythnos dwytha, wedi
blwyddyn a hanner o frwydr yn erbyn canser, diffoddodd y
fflam, a daeth tyrfa fawr i Fae Colwyn i dalu'r deyrnged olaf
iddi.

Roedd o'n wasanaeth cwbl ddi-grefydd, ond gwnaeth y
teyrngedau didwyll argraff ddofn arnaf.

Golygfa anghyffredin yw gweld pramiau mewn angladd,
ond mi ddaethant, yn fabanod, yn blant, yn famau, yn
chwiorydd, yn ffrindiau – ac ambell ffigwr gwrywaidd, mwy
nag un o'r Brifysgol ym Mangor lle bu Sandra yn gweithio yn
yr Adran Efrydiau Allanol nes colli ei swydd.

Wrth ddod â Sandra i gof, roedd chwerthin mor rhwydd â
chrïo, a doedd yna ddim prinder chwedlau.

Rhyw bum mlynedd yn ôl y deuthum i'w hadnabod
gyntaf. Roedd criw ohonom yn dod i Garneddi i gael gwersi
Sbaeneg, ac mi hwyliodd y ddynas yma i mewn. Bywiogodd y
stafell, ac wedi ceisio meistroli berfau afreolaidd, yr oedd
Sandra yn ein canol yn sgwrsio, yn tanio sigarét ac yn
trefnu'r digwyddiad nesaf.

'Parti' oedd un o'i hoff eiriau, ac ni allai ynganu'r gair
heb i'w llygaid fynd yn fawr fel soseri. Roedd dweud y gair

yn rhoi pleser iddi, heb sôn am y pleser o edrych ymlaen at y digwyddiad.

Yn ei chartref yn Llanedwen, Ynys Môn, y cefais brofi'r parti cyntaf. Roedd Sandra yn byw mewn rhyw oruwch ystafell mewn plas ger bwthyn pinc, ac roedd o'n brofiad cyrraedd y lle. Nid un o'r rheini oedd wedi paratoi popeth yn berffaith ymlaen llaw oedd Sandra, roedd popeth ar ei hanner wrth i ni gyrraedd. Ond roedd chwaeroliaeth y gegin yn bwysig iddi, a rhan o'r mwynhad oedd cael llond y gegin o wragedd yn paratoi bwyd blasus. Welais i ddim cogyddes debyg iddi, ac roedd ei haelioni yn ddiarhebol. Wrth drefnu digwyddiadau eraill i godi arian, mi fyddai Sandra wastad yn cyrraedd, nid efo un powlenaid, ond efo hanner dwsin. Roedd hi *eisiau* rhannu.

Yn Samaritan cydwybodol (er y byddai'n well ganddi'r label Comiwnydd, debyg), byddai Sandra yn rhoi'n hael o'i hamser a'i harian i fyrdd o achosion.

Cefais ddwy daith gyda hi i Nicaragua, ac mae bod efo person dan amgylchiadau felly yn selio cyfeillgarwch.

Un o'r pethau a gofiaf amdani yw ei anallu i ddeffro yn y bore. Byddai'r dasg yn golygu hanner awr o berswâd gan hanner dwsin ohonom. Ond unwaith y byddai'r batris wedi eu cynnau, doedd dim stop arni.

I'r rhan fwyaf o wragedd sy'n tynnu at y trigain, maent yn bodloni ar fywyd tawelach, ond roedd Sandra yn mynnu cael antur, mynnu mentro a chael gweld pethau gyda'i llygaid ei hun.

Roedd hi'n hoff o blant – plant ei theulu a phlant o bob cefndir. Mae gen i lun ohoni yn Nicaragua a phlant yn ei hamgylchynnu. Nid oedd yn syndod deall fod cyfraniadau yn y cynhebrwng am fynd at Gegin y Plant yn Nicaragua.

Gweithiodd yn galed dros achos Nicaragua, yn arbennig yn ceisio ffurfio cysylltiadau rhwng un o brifysgolion y Caribî a Phrifysgol Bangor. Tasg bron yn amhosib oedd honno yn y dyddiau sydd ohoni, a Sandra yn rhwystredig am na allai pobl fod yn bobl yn gyntaf, cyn gweinyddu cyfundrefnau.

Unwaith, a minnau'n ddi-gar, gofynnais i Sandra am lifft i Gaerdydd – siwrne sy'n cymryd rhyw bedair, bum awr dan amgylchiadau cyffredin. Mi gymrodd y daith hon dipyn yn hwy. Rhaid oedd stopio am frecwast efo mam Sandra ym Maentwrog, hithau'n naw-deg rywbeth, ac yn hynod falch o'n gweld. Wedi smôc sydyn, ymlaen i Ddolgellau, ac anwybyddu'r ffordd osgoi.

'Lle wyt ti'n mynd?' gofynnais yn amheus.

'Wyt ti wedi profi *honey-buns* Dolgellau?' Na, doeddwn i ddim, ond wedi cael fy nghyflwyno i ddanteithion y siop fwyd arbennig honno, rydw innau'n methu deall pam bod angen ffordd arbennig i'w hosgoi.

Erbyn cyrraedd Llanidloes, roedd amser yn bendant yn brin. Jest munud bach oedd hi eisiau yno – i sbecian ar siop sgidiau. Fyddai Sandra ddim fel petai yn ymboeni am y ddelwedd allanol – roedd ei hwyneb yn amddifad o golur, a doedd ei gwallt ddim yn berffaith. Ond roedd hi'n cael dileit mewn siopa, a mwy o ddileit yn cael bargen. O'r siop sgidia, dyma 'bicio' i weld stondinau'r farchnad, yr eiliadau yn mynd, a ninnau'n teimlo fel dwy ferch ysgol wedi dianc. Oedd, roeddem yn ddiarhebol o hwyr yn cyrraedd Caerdydd, ond wnai byth anghofio'r siwrne.

Enaid rhydd oedd Sandra, wedi perffeithio'r ddawn o fyw.

Roedd ei chonsyrn a'i phryder am eraill yn codi cywilydd arnaf. Mi fyddai wastad wrth law i gynnig help, yn un o'r bobl hynny nad yw'n anodd gofyn cymwynas ganddynt. Wedi profi sawl profedigaeth lem yn ystod ei bywyd, ac wedi colli ei swydd yn rhy gynnar o lawer, diau fod ganddi fwy na'i siâr o'i phryderon ei hun, ond byddai pryderon eraill wastad yn cael blaenoriaeth.

Ganddi hi y dysgais y wers o beidio anobeithio, waeth pa mor dywyll oedd y sefyllfa, roedd yna wastad rhywbeth oedd yn bosibl ei wneud.

Dyna pam oedd clywed am ei marwolaeth wythnos yn ôl yn gymaint o sioc. Fedrwn ni ddim fforddio colli rhai felly, mae nhw'n rhy brin o'r hanner. Ddim yn aml mewn cynhebrwng yn awr y clywch chi gyfeirio at Gomiwnyddion – mae nhw'n frîd prin bellach, ac yn hynod o anffasiynol.

Wrth iddi fachludo, wrth i'r awel gynnes fwytho'n gruddiau, rydan ni'n ymwybodol inni brofi colled drom. Pwy sydd 'na bellach i'n denu allan, i herio'r cysgodion, i godi canu, i ddathlu bywyd yn ei holl odidowgrwydd? Ond mae 'na lais bach yn sibrwd yn fy nghlust: 'dowch 'laen genod – diawch, dydach chi ddim am feiddio digalonni, nag ydach?' Dwi'n cofio ei gwên a'i chariad mawr, yn codi 'nghalon, ac yn dal ati.

23 Mehefin, 2001

Profi'r chwaeroliaeth
a dal i fethu credu'r ffaith

Fe gyrhaeddodd yn y diwedd, wedi'r disgwyl maith – mab bach holliach, saith bwys, chwe owns.

Ac ers awr ei eni, yn blygeiniol ar y trydydd dydd o Ebrill, mae ein bywydau wedi troi o gwmpas Hedydd Ioan, a mawr yw ein braint.

Treuliais y naw diwrnod cyntaf wedi ei eni yn Ward Mamolaeth Ysbyty Gwynedd, a dyna brofiad oedd hwnnw.

Rydych chi'n rhan o gymdeithas unigryw – tebyg i chwaeroliaeth carchar – nad oes modd i chi ei brofi'n llawn heb fod yn rhan ohoni, ac o fewn ei muriau cyfyng. Un ward ydyw, gyda chwe gwely, ond mae'r cyfan yn digwydd o'i mewn, a phrin fod y byd tu allan yn bodoli.

Un o'r bendithion mwyaf oedd peidio gorfod gwylio'r rhyfel am y naw diwrnod hwnnw, ac roedd hynny'n fwy o orffwys i'r enaid na dim.

Bydwragedd sy'n gyfrifol am y lle, gyda ambell ymweliad achlysurol gan feddygon, ond ymylol yw eu rhan hwy. Yn y bydwragedd y mae eich ffydd, nhw sydd yn meddu'r wybodaeth hanfodol – y nhw, a'r lanhawraig.

O fewn ychydig oriau, ac yn enwedig wedi poen y geni, rydych chi'n dysgu i fod yn amheus iawn o unrhyw un nad yw wedi rhoi genedigaeth eu hunain. Cysur a sicrwydd profiad ydych chi ei angen – o flaen popeth arall.

Mae'n gas gen i fod mewn ysbyty fel arfer – mae'n llawer rhy debyg i garchar, ond roedd ward Llifon yn wahanol. Nid cleifion mohonom, ond gwragedd wedi dod yno i esgor ar fywyd newydd.

Er fod poen a gofid i'w brofi, roedd yn ward lawen iawn, a phawb yn edrych ymlaen ac yn dathlu.

Profiad cyffredin oedd mynd i gysgu gyda'r ward yn weddol dawel gyda'r nos, a deffro y bore wedyn i weld y gwlâu wedi llenwi, a chrud gyda babi newydd gerllaw bob un.

'Be gawsoch chi?' oedd y cwestiwn cyntaf, cyn mynd i fanylu am bwysau a phryd a gwedd a stori'r enedigaeth. Byddai'r rhai mwyaf tebol yn ein plith yn aros am noson yn unig, cyn mentro i'r byd mawr, a byddwn yn eiddigeddus iawn ohonynt.

Doedd fawr o amser i synfyfyrio yno. O'r diwrnod cyntaf, roedd angen gofalu am y babi, ei fwydo, ei newid, a'i gysuro.

Erbyn pedwar y p'nawn, roedd oriau ymweld wedi cychwyn, a byddai'r teulu draw yn un haid – ynghyd â theuluoedd pawb arall, ac roedd y ward fel ffair.

Bob bore, y peth cyntaf a wnawn oedd edrych pa fydwraig oedd yn gyfrifol am y ward am y diwrnod. Roedd pob un ohonynt yn gymeriad cryf, a'r ffordd orau o ddelio â hyn oedd deall eu gwahanol obsesiynau, a cheisio eu plesio orau y gallwn.

Roedd gan Miriam obsesiwn gyda thaclusrwydd, a gan nad yw hynny yn nodwedd gref iawn ynof fi, roedd rhaid gwneud ymdrech arbennig i glirio fy llanast pan oedd Miriam ar ddyletswydd. Roedd hi fel gardd Eden o amgylch fy ngwely i gan gymaint o flodau a ddaeth, a phenderfynais osod y cyfan ar y gwely a cheisio eu trefnu yn gain mewn pot blodau. A'n helpo! Wedi i mi dorri'r cyfan a'u gosod yn ddeheuig, a chlirio, sylwais fod y gwely yn gwbl wlyb, a bu rhaid newid y cynfasau.

Obsesiwn Samantha oedd fod y babi wedi ei lapio yn gynnes, a bod y gwely wedi ei wneud, pryder Linda oedd fod y bwydo o'r fron yn digwydd yn rhwydd. Pregeth gyson Mair oedd fod yn rhaid i'r fam orffwyso pob cyfle a gai.

Er gwaethaf fy awydd i blesio, cefais fwy nag un cerydd. Mentrais gyda'r babi i lawr y coridor un dydd pan ddaeth bloedd gan y lanhawraig: 'peidiwch da chi a'i gario fel yna, rhag ofn i chi ddisgyn ar ei ben a'i sgwashio!!' Rhuthrais yn ôl i'r gwely yn teimlo yn Fam Ddrwg Iawn.

Dro arall, aeth fy ngŵr a minnau am dro ar hyd y coridor a mynd â Hedydd gyda ni yn ei grud. Gadawsom y crud wrth y drws, a chludo'r babi yn ein breichiau am dro i gael awyr iach. O fewn dim, roedd nyrs wallgof yn rhedeg ar ein holau. 'Dydych chi ddim i fod i fynd â'r babi o'r ward!' sgrechiodd. Roedd wedi sylwi ar y crud gwag ac wedi cael ffit yn meddwl fod Hedydd wedi ei ddwyn.

'Sori,' meddwn, yn llawn cywilydd. Roedd y nyrs druan mewn ffitiau, greadures.

Ond drwy'r holl gyfnod y bûm yno, cefais ofal penigamp, a mawr yw fy nyled i staff Ward Llifon.

Mae'n fwy na swydd i'r bydwragedd hyn, mae'n alwad. Er mwyn y gwaith y maent yn byw, ac maent yn rhoi llawer mwy nag ymroddiad arferol. Does dim rhaid holi rhain beth yw diben eu swydd. Gwyddant – er na chant gydnabyddiaeth ariannol am hynny – mai eu gwaith yw dod â bywydau newydd i'r byd, a does dim gwaith pwysiach na hynny.

Rydym yn hynod freintiedig, yn byw dan drefn lle roedd gwasanaeth iechyd ar gael i bawb.

Adroddodd un nyrs stori am wraig yn rhoi genedigaeth yn Kabul, lle mae tlodi enbyd.

Tra roedd gwraig yn esgor, roedd ei gŵr yn crwydro strydoedd y ddinas yn holi yn daer lle allai brynu edafedd er mwyn i'r meddygon allu ei phwytho wedi'r driniaeth. Ni wyddwn ble i ddechrau cyfrif fy mendithion.

Wrth edrych allan ar fynyddoedd Eryri o Ward Llifon, diolchais mai yng Nghymru oedd fy mab bach i wedi ei eni.

Roedd llawer o Saesneg ar y ward, a dechreuais feddwl

beth oedd o flaen Hedydd. I ba fath o leiafrif fyddai o yn perthyn? Faint o frwydro oedd disgwyl iddo fo ei wneud? Mewn byd gyda'r fath drais, pa mor galed fyddai yn rhaid iddo fo ymgyrchu dros heddwch? Gyda cymaint o anghyfiawnder ar bob cyfandir, lle roedd disgwyl iddo ddechrau codi llais?

Mae'n debyg fod yr un pryderon yn dod i ran bob mam. Fedrwn ni wneud dim mwy na throsglwyddo ein gwerthoedd i'r rhai bach, ac ymddiried y byddant hwy yn parhau â'r gwaith.

Gwawriodd bore newydd ddydd Gwener, y dydd yr oeddem am gael mynd adref.

Wrth droed fy ngwely, aeth gwraig flinedig heibio ac arhosodd i edrych ar y crud. 'Be gawsoch chi?' sibrydodd. 'Hogyn,' atebais i. 'Tydio werth y byd?' meddai cyn diflannu.

Syllais innau ar y crud yn llawn rhyfeddod. Yr oeddwn wedi cael y fraint o fod yn rhan o gymdeithas unigryw Ward Llifon am dros wythnos, ac wedi rhoi bod i enaid newydd. Roedd hynny'n ddigon o wefr ynddo'i hun.

Ond y peth gorau am y profiad oedd fy mod yn cael mynd â'r trysor bach adref efo mi a'i gadw. Dwi'n dal i fethu credu'r ffaith.

26 Ebrill, 2003

Am restr gyflawn o lyfrau'r wasg,
mynnwch gopi o'n Catalog newydd,
rhad – neu hwyliwch i mewn i'n gwefan

www.ylolfa.com

i archebu ein llyfrau ar-lein.

TALYBONT CEREDIGION CYMRU SY24 5AP
e-bost ylolfa@ylolfa.com
gwefan www.ylolfa.com
ffôn (01970) 832 304
ffacs 832 782